콘텐츠 비즈니스 인식의 전환
Base: 지속가능경영, RE100

Alex Shin

콘텐츠 비즈니스 인식의 전환

발행	|	2024년 3월 30일
저자	|	Alex Shin
디자인	|	어비, 미드저니
편집	|	어비
펴낸이	|	송태민
펴낸곳	|	열린 인공지능
등록	|	2023.03.09(제2023-16호)
주소	|	서울특별시 영등포구 영등포로 112
전화	|	(0505)044-0088
이메일	|	book@uhbee.net

ISBN | 979-11-93116-60-9

www.OpenAIBooks.shop

콘텐츠 비즈니스 인식의 전환
Base: 지속가능경영, RE100

Alex Shin

목차

머리말

최근 몇 년 동안 세계는 인간활동이 환경과 사회에 미치는 영향에 대한 인식과 관심이 높아지고 있습니다. 또한 그로 인해 많은 기업은 환경, 사회 및 거버넌스(ESG) 문제를 다루는 보다 지속 가능하고 책임 있는 관행을 채택해야 한다는 압박을 받고 있습니다.

이 책은 콘텐츠 비즈니스의 인식을 전환하는 도구로서 기업이 지속 가능한 관행의 중요성과 이를 효과적으로 구현하는 방법을 이해하도록 돕기 위해 지속가능경영, RE100에 기반하여 고안되었습니다.

콘텐츠 비즈니스를 하고 있다면 지속 가능성 전문가, 비즈니스 리더 또는 투자자이든 관계없이 이 책은 콘텐츠 비즈니스 인식 전환을 통해 관행의 복잡한 환경을 탐색하고 보다 지속 가능하고 공평한 세상에 기여하는 데 필요한 지식과 도구를 제공합니다.

저자 소개

콘텐츠관련 일을 20년 가까이하며, 매일매일 트렌드들에 대해 경험하고 앞으로 일어날 일에 대해 어떻게 대응을 해야하는지 고민하면서 살고 있습니다.

앞으로 인공지능은 엄청난 발전을 이루겠지만 그 과정에 있는 한 사람으로서 이 기술을 통해 무엇을 할 수 있는지 고민의 결과로 출간을 하게 되었습니다.

1. RE100소개 및
콘텐츠산업에 대한 중요성

1.1 RE100의 개념과 탄생 배경

RE100의 정의

RE100 (Renewable Energy 100%) 은 기업들이 사용하는 전력의 100%를 재생가능 에너지로 전환하겠다는 국제적인 이니셔티브입니다. 이 운동은 기업들이 기후 변화 대응에 앞장서고, 재생 가능 에너지의 수요를 증가시켜 에너지 시장을 변화시키는 데 목적을 두고 있습니다.

RE100의 목표

RE100의 주요 목표는 기업들이 재생가능 에너지 사용을 증대시키고, 이를 통해 전 세계적인 탄소 배출 감소에 기여 하는 것입니다. 이는 기업들이 기후 변화에 대한 실질적인 행동을 취하고, 장기적으로 환경적 지속 가능성을 추구하도록 장려합니다.

RE100에 참여하는 기업들은 특정 시점까지 자신들의 전력 소비량 중 100%를 재생가능 에너지로 충당하는 목표를 설정 하고, 이를 달성하기 위한 구체적인 계획을 수립합니다. 이러한 목표는 기업의 지속 가능성 전략의 일부로, 기업의 사회적 책임과 환경적 책임을 강조하는 중요한 요소가 됩니다.

RE100의 중요성

RE100 이니셔티브는 기업들이 지속 가능한 미래를 위해 취할 수 있는 구체적이고 실질적인 조치를 제시합니다. 이는 단순히 환경 보호 노력을 넘어서, 재생가능 에너지 산업의 성장을 촉진하고, 지속 가능한 경제 모델을 구축하는 데 기여합니다.

또한, RE100은 기업들이 기후 변화 대응을 위한 글로벌 노력에 동참하고, 이를 통해 브랜드 가치와 기업 이미지를 강화할 수 있는 기회를 제공합니다. 이는 소비자들과 투자자들 사이에서 환경적 책임을 중시하는 경향이 증가함에 따라 더욱 중요해지고 있습니다.

RE100의 전략적 접근

RE100에 참여하는 기업들은 다양한 방법으로 재생가능 에너지 사용을 증가시킵니다. 이는 직접적인 재생가능 에너지 소스의 설치(예: 태양광 패널), 재생가능 에너지 구매 계약(PPA), 또는 재생가능 에너지 인증(RECs) 구매 등을 포함할 수 있습니다.

이러한 전략은 기업들이 자신의 운영과 에너지 소비 패턴에 맞는 지속 가능한 에너지 솔루션을 찾고, 이를 통해 재생가능 에너지 시장의 성장과 혁신을 촉진하는 데 기여합니다.

이 부분에서는 RE100의 기본 개념과 목표, 중요성, 그리고 기업들이 취할 수 있는 전략적 접근법을 자세히 설명하여, 독자들이 RE100이 무엇인지와 그것이 왜 중요한지에 대한 명확한 이해를 할 수 있도록 해야 합니다.

RE100의 탄생 배경: 기후 변화에 대한 국제적 우려와 재생가능 에너지로의 전환 필요성 강조

기후 변화에 대한 증가하는 우려

기후 변화의 현실: 전 세계적으로 기후 변화는 가장 시급하고 중대한 환경 문제 중 하나로 부상했습니다. 지구 온난화, 극단적인 기상 현상, 해수면 상승 등은 기후 변화의 직접적인 결과로, 생태계, 인류의 생활, 그리고 경제에 심각한 영향을 미치고 있습니다.

국제적 인식과 대응: 이러한 현실에 대응하기 위해, 다양한 국가와 국제기구는 기후 변화에 대한 경각심을 높이고 있습니다. 파리 기후 협약과 같은 국제적인 협약은 온실가스 배출 감축을 목표로 하고 있으며, 이는 전 세계적인 노력과 협력을 요구합니다.

재생가능 에너지로의 전환의 필요성

재생가능 에너지의 중요성: 기후 변화 대응의 핵심은 재생가능 에너지로의 전환입니다. 화석 연료의 사용은 온실가스 배출의 주요 원인 중 하나이며, 이를 대체할 수 있는 가장 효과적인 방법은 태양광, 풍력, 수력 등의 재생가능 에너지원을 활용하는

것입니다.

경제적 및 환경적 이점: 재생가능 에너지는 환경적으로 지속 가능할 뿐만 아니라, 장기적으로 경제적으로도 효율적입니다. 에너지 생산 과정에서 발생하는 온실가스 배출을 크게 줄일 수 있으며, 재생가능 에너지 기술의 발전과 비용 감소는 이러한 전환을 더욱 가속화하고 있습니다.

RE100의 탄생

RE100의 시작: 이러한 배경 하에, RE100은 2014년 기후 주간 행사에서 처음 발표되었습니다. 이는 기업들이 재생가능 에너지 사용을 통해 기후 변화 대응에 적극적으로 참여할 수 있도록 장려하는 이니셔티브입니다.

목적과 기대 효과: RE100은 기업들이 전력 소비의 100%를 재생가능 에너지로 충당하도록 장려함으로써, 기업의 에너지 소비 패턴을 변화시키고, 재생가능 에너지 시장의 수요를 증가시키는 것을 목표로 합니다. 이는 장기적으로 온실가스 배출 감소, 에너지 시스템의 지속 가능한 전환, 그리고 기후 변화 대응에 중요한 기여를 할 것으로 기대됩니다.

기후 변화 대응에 대한 RE100의 기여

① 온실가스 배출 감소

RE100 참여 기업들은 재생가능 에너지로의 전환을 통해 탄소 발자국을 줄이고 있습니다. 이는 전 세계적인 온실가스 배출량 감소에 기여하며, 기후 변화 완화에 중요한 역할을 합니다.

기업들의 재생가능 에너지 사용 증가는 화석 연료 의존도를 낮추어, 온실가스 배출의 주요 원인을 줄이는 데 도움이 됩니다.

② 에너지 전환 촉진

RE100 참여는 재생가능 에너지에 대한 수요를 증가시켜, 이 분야의 투자와 혁신을 촉진합니다. 이는 재생가능 에너지 기술의 발전과 비용 절감으로 이어져, 보다 광범위한 재생가능 에너지 사용을 가능하게 합니다.

재생가능 에너지로의 전환은 전체 에너지 시스템의 지속 가능성을 높이는 데 중요한 역할을 하며, 이는 장기적으로 기후 변화 대응에 필수적입니다.

③ 시장 변화와 경제적 영향

RE100 기업들의 행동은 시장에 강력한 신호를 보내, 재생가능 에너지 기술의 확산과 상업적 가치를 증대시킵니다.

이러한 변화는 재생가능 에너지 분야에서의 경제적 기회를 창출하고, 새로운 일자리와 산업의 성장을 촉진합니다.

④ 정책 및 규제에 대한 영향:

대규모 기업들의 RE100 참여는 정부 및 규제 기관에게 재생가능 에너지 지원 및 관련 정책의 중요성을 알립니다.

이는 재생가능 에너지와 관련된 정책 개발과 규제 개선을 촉진할 수 있으며, 국가 및 글로벌 수준에서 재생가능 에너지 전환을 가속화하는 데 기여합니다.

글로벌 환경 문제에 대한 RE100의 중요성

① 글로벌 환경 리더십 강화

RE100에 참여하는 기업들은 환경 보호와 지속 가능성에 대한 글로벌 리더십을 보여줍니다. 이는 다른 기업들과 조직들에게도 긍정적인 영향을 미치며, 재생가능 에너지 전환을 위한 더 넓은 움직임을 촉진합니다.

② 공공 인식과 행동 변화

RE100 참여 기업들은 자신들의 활동을 통해 소비자 및 대중의 인식을 높이고, 환경 보호 및 지속 가능한 행동 변화를 장려합니다.

이러한 노력은 재생가능 에너지와 지속 가능성에 대한 대중의 관심과 지지를 증가시키며, 광범위한 사회적 변화를 가져옵니다.

RE100은 기후 변화 대응과 재생가능 에너지 전환에 중요한 기여를 하고 있으며, 이는 글로벌 환경 문제 해결을 위한 중요한 단계입니다. 이러한 노력은 단순히 기업 차원에서의 변화를 넘어, 글로벌 경제와 사회 전반에 긍정적인 영향을 미치고 있습니다.

RE100의 주요 이니셔티브와 글로벌 영향력: 세계적으로 RE100에 참여하고 있는 주요 기업들과 그들의 목표

RE100의 주요 이니셔티브

RE100 캠페인: RE100은 기업들이 100% 재생가능 에너지를 사용하겠다는 약속을 하는 글로벌 캠페인입니다. 이 캠페인은 기업들이 재생가능 에너지 사용을 늘리고, 이를 통해 전 세계적으로 기후 변화 대응에 기여하도록 장려합니다.

목표 설정 및 추진: RE100에 가입하는 기업들은 일정 기한 내에 자신들의 전력 소비의 100%를 재생가능 에너지로 충당하겠다는 목표를 설정합니다. 이 목표를 달성하기 위해, 기업들은 재생가능 에너지 소싱, 투자, 정책 지지 등 다양한 방법을 모색합니다.

세계적으로 참여하고 있는 주요 기업들

글로벌 기업들의 참여: 전 세계적으로 많은 유명 기업들이 RE100에 참여하고 있습니다. 이들 기업은 다양한 산업 분야에 걸쳐 있으며, 각각의 기업은 재생가능 에너지 전환을 위한 자체적인 목표와 계획을 가지고 있습니다.

사례 소개: 예를 들어, 글로벌 기술 회사인 Google과 Apple은

이미 자신들의 운영에 필요한 전력의 대부분을 재생가능 에너지로 충당하고 있으며, 이는 전 세계적인 에너지 사용 패턴에 긍정적인 영향을 미치고 있습니다. 또한, 소매업체인 IKEA는 자체적인 태양광 패널과 풍력 발전 시설을 통해 재생가능 에너지를 생산하고 있습니다.

글로벌 영향력

시장 변화의 촉진: RE100에 참여하는 이러한 대기업들은 재생가능 에너지 시장에 큰 영향력을 미치고 있습니다. 이들의 재생가능 에너지 수요 증가는 에너지 공급자들에게 중요한 시장 신호를 보내며, 재생가능 에너지 기술의 발전과 가격 경쟁력을 높이는 데 기여하고 있습니다.

정책 및 인식 변화: 이와 함께, 이러한 기업들의 노력은 정책 결정자들과 대중에게 재생가능 에너지의 중요성을 강조하고, 지속 가능한 에너지 전환에 대한 인식을 높이는 데 중요한 역할을 하고 있습니다. 이는 장기적으로 전 세계적인 에너지 정책과 소비 행태에 긍정적인 변화를 가져오는 데 기여하고 있습니다.

1.2 콘텐츠 산업의 중요성

콘텐츠 산업의 정의와 범위: 방송, 영화, 디지털 미디어, 출판 등 포함

콘텐츠 산업의 정의

개념 설명: 콘텐츠 산업은 정보, 문화, 엔터테인먼트를 제공하는 다양한 매체와 서비스를 포함하는 광범위한 분야입니다. 이 산업은 창의적인 내용의 생성, 관리, 배포를 중심으로 하며, 이를 통해 대중에게 지식, 오락, 교육적 가치를 제공합니다.

핵심 요소: 콘텐츠 산업은 창작성과 기술 혁신이 결합된 영역으로, 디지털 시대의 발전과 함께 끊임없이 진화하고 있습니다. 이 산업은 무형의 창작물을 중심으로 하며, 이는 기술과 매체를 통해 다양한 형태로 전달됩니다.

콘텐츠 산업의 범위

콘텐츠산업분류는 대분류 12개(출판산업/만화산업/음악산업/영화산업/게임산업/애니메이션산업/방송산업/광고산업/캐릭터산업/지식정보산업/콘텐츠솔루션산업/공연산업), 중분류 51개, 소분류 131개로 구성되는데 그중에서 이번에는 방송, 영화, 디지털 미디어, 출판분야만 이야기해보고자 합니다.

방송 산업

텔레비전 방송: 드라마, 뉴스, 다큐멘터리, 예능, 교육 프로그램 등 다양한 장르의 TV 프로그램.

라디오 방송: 음악, 뉴스, 토크쇼, 오디오 드라마 등 오디오 기반의 콘텐츠.

위성 및 케이블 TV: 특화된 채널을 통한 다양한 콘텐츠 제공.

영화 산업

극장용 영화: 대규모 제작 및 배급을 통한 상업 영화.

독립 및 예술영화: 창의적이고 실험적인 접근을 가진 인디영화.

다큐멘터리: 실제 사건이나 주제를 다루는 교육적, 정보적 영화.

애니메이션: 다양한 애니메이션 기법을 활용한 영화.

디지털 미디어

웹사이트 및 블로그: 다양한 주제와 콘텐츠를 제공하는 온라인 플랫폼.

소셜 미디어: 사용자 생성 콘텐츠 및 상호작용을 중심으로 한 플랫폼.

모바일 애플리케이션: 교육, 엔터테인먼트, 유틸리티 등 다양한 목적의 앱.

디지털 게임: PC, 콘솔, 모바일 등 다양한 플랫폼을 통한 게임 콘텐츠.

출판 산업

책 및 전자책: 소설, 교육, 비소설, 참고서 등 다양한 장르의 책.

잡지: 특정 주제나 분야에 초점을 맞춘 정기 간행물.

신문: 일일 또는 주간 기반의 뉴스 및 정보 제공.

오디오북: 음성으로 녹음된 책 콘텐츠.

추가적인 콘텐츠 영역

온라인 비디오 및 스트리밍 서비스: YouTube, Netflix 등을 통한 다양한 비디오 콘텐츠.

팟캐스트: 다양한 주제를 다루는 오디오 방송.

인터랙티브 콘텐츠: 사용자 참여와 상호작용을 기반으로 한 콘텐츠.

이러한 상세한 분류는 콘텐츠 산업의 광범위한 영역을 보여주며, 각 분야가 가지는 특성과 중요성을 강조합니다. 방송, 영화, 디지털 미디어, 출판 등 각 영역은 독특한 방식으로 대중과 소통하며, 문화, 교육, 엔터테인먼트의 가치를 제공합니다. 이 부분에서는 각 분야의 특징과 현대 사회에서의 역할을 상세히 설명하여, 콘텐츠 산업의 다양성과 중요성을 강조할 수 있습니다.

콘텐츠 산업의 중요성

경제적 가치: 콘텐츠 산업은 창의적인 인재와 혁신적인 기술을 기반으로 하는 고부가가치 산업입니다. 이 산업은 새로운 일자리 창출, 수출 증대, 그리고 경제 성장에 기여합니다.

문화적 영향: 콘텐츠는 문화적 가치와 정체성을 전달하는 중요한 수단입니다. 다양한 문화적 배경을 반영하는 콘텐츠는 사회적 다양성과 포용성을 증진시키는 데 중요한 역할을 합니다.

사회적 커뮤니케이션: 콘텐츠는 대중과의 커뮤니케이션 채널로서, 사회적 이슈에 대한 인식을 높이고, 공공의 의견 형성에 영향을 미칩니다. 이는 교육적인 측면에서도 중요한 가치를 가지고 있습니다.

콘텐츠 산업은 이러한 다양한 매체와 형태를 통해 사회의 다양한 측면에 영향을 미치며, 경제적, 문화적, 사회적으로 중요한 역할을 담당하고 있습니다. 이 부분에서는 콘텐츠 산업의 다양한 영역과 그 중요성을 상세하게 설명하여, 독자들이 콘텐츠 산업의 광범위한 영향력과 가치를 이해할 수 있도록 해야 합니다.

콘텐츠 산업의 경제적 및 사회적 영향: 경제 성장, 일자리 창출, 문화 전파 등의 측면에서 중요성 강조

콘텐츠의 힘: 대중의 인식과 행동에 영향을 미치는 콘텐츠의 힘과 중요성 설명

콘텐츠의 영향력

정보 전달 및 인식 형성: 콘텐츠는 정보를 전달하고, 대중의 인식을 형성하는 강력한 도구입니다. 뉴스, 다큐멘터리, 교육 프로그램 등은 시청자들에게 중요한 사회적, 경제적, 환경적 이슈에 대한 지식과 인사이트를 제공합니다.

문화적 가치 전달: 영화, 드라마, 음악, 문학 등은 다양한 문화적 가치와 경험을 전달하며, 사람들 사이의 공감대 형성에 기여합니다. 이는 사회적 다양성과 포용성을 증진시키는 중요한 역할을 합니다.

콘텐츠를 통한 영향력

감정적 연결과 설득력: 콘텐츠는 강력한 스토리텔링과 시각적, 청각적 요소를 통해 감정적 연결을 만들어냅니다. 이는 사람들이 콘텐츠에 깊이 몰입하게 하고, 메시지의 설득력을 높입니다.

행동 변화 유도: 캠페인, 광고, 홍보 영상 등은 특정 행동이나 태도 변화를 유도하는 데 사용됩니다. 예를 들어, 환경 보호를 위한 캠페인은 대중의 생태 의식을 높이고, 지속 가능한 생활 방식을 장려합니다.

콘텐츠의 사회적 영향

사회적 이슈에 대한 인식 증진: 콘텐츠는 사회적 이슈에 대한 대중의 인식을 증진시키고, 공공의 대화에 기여합니다. 이는 사회적 변화의 촉매제가 될 수 있습니다.

교육과 인지 발달: 특히 어린이와 청소년을 대상으로 한 교육 콘텐츠는 지식 전달과 인지 발달에 중요한 역할을 합니다. 이는 평생 학습과 지속적인 지적 성장을 촉진합니다.

글로벌 커뮤니케이션과 연결성

글로벌 커뮤니티 구축: 인터넷과 디지털 미디어는 전 세계적인 커뮤니케이션과 연결성을 가능하게 합니다. 이는 다양한 문화와 사상이 교류하고, 글로벌 차원의 문제에 대한 공동의 인식과 해결 방안을 모색할 수 있는 기회를 제공합니다.

콘텐츠 산업의 미래 방향

지속 가능한 콘텐츠의 중요성: 콘텐츠 산업은 지속 가능한 개발과 환경 보호에 기여할 수 있는 중요한 역할을 담당합니다. RE100과 같은 이니셔티브를 통해 콘텐츠 제작 및 배포 과정에서의 에너지 사용 효율성을 높이고, 환경에 미치는 영향을 줄이는 방향으로 발전해야 합니다.

콘텐츠의 힘과 중요성은 그것이 대중의 인식, 문화, 사회적 행동에 미치는 광범위한 영향에서 분명하게 드러납니다. 이러한 영향력을 인식하고 책임감 있게 활용한다면, 콘텐츠 산업은 사회적, 문화적 발전과 지속 가능한 미래를 위한 긍정적인 변화를 이끌어낼 수 있습니다.

1.3 RE100과 콘텐츠산업의 상호 연관

콘텐츠 산업에서 RE100의 역할: 콘텐츠 산업이 RE100 이니셔티브에 어떻게 기여할 수 있는지 탐구

콘텐츠 산업의 RE100 기여 방안

재생가능 에너지로의 전환: 콘텐츠 산업은 제작, 배급, 방송 등의 과정에서 상당량의 에너지를 소비합니다. RE100 이니셔티브에 참여함으로써, 이러한 활동에 필요한 에너지를 재생가능 에너지원으로 전환할 수 있습니다.

지속 가능한 콘텐츠 제작: 콘텐츠 제작 과정에서 에너지 효율적인 기술과 방법을 적용하여 환경 영향을 최소화할 수 있습니다. 예를 들어, 디지털 테크놀로지를 활용한 촬영, 에너지 효율적인 스튜디오 디자인 등이 있습니다.

콘텐츠를 통한 RE100 메시지 전달

대중 인식 제고: 콘텐츠 산업은 영화, TV 프로그램, 디지털 미디어 등을 통해 RE100과 같은 환경 이니셔티브에 대한 인식을 널리 확산시킬 수 있습니다. 이러한 메시지는 대중에게 지속 가능한 에너지 사용의 중요성을 전달하고, 행동 변화를 유도할 수 있습니다.

교육적 콘텐츠 개발: 환경 보호와 재생가능 에너지에 대한 교

육적 콘텐츠를 개발하여, 학교와 대중에게 지속 가능한 생활 방식을 교육할 수 있습니다.

콘텐츠 산업의 글로벌 영향력 활용

글로벌 캠페인 및 파트너십: 콘텐츠 산업은 글로벌 네트워크와 파트너십을 활용하여 RE100과 같은 이니셔티브에 대한 국제적 인식을 증진시킬 수 있습니다. 이는 다른 산업들에게도 긍정적인 영향을 미치며, 환경 보호에 대한 전 세계적인 노력을 강화합니다.

지속 가능한 미디어와 엔터테인먼트

업계 내 지속 가능성 노력: 콘텐츠 산업 내부에서도 지속 가능한 제작 방법과 비즈니스 모델을 적극적으로 개발하고, 이를 촉진하는 것이 중요합니다. 이는 업계 전반의 탄소 발자국을 줄이고, 장기적인 지속 가능성을 확보하는 데 기여합니다.

콘텐츠 산업은 RE100과 같은 이니셔티브에 기여함으로써, 자신의 영향력을 환경 보호와 지속 가능한 개발을 위한 긍정적인 목적으로 사용할 수 있습니다. 이러한 노력은 콘텐츠 산업뿐만 아니라, 사회 전반에 걸쳐 지속 가능한 미래를 향한 중요한 변화를 이끌어낼 수 있습니다.

지속 가능한 콘텐츠 제작의 필요성: 환경 보호를 위한 콘텐츠 제작의 중요성 강조

지속 가능한 콘텐츠 제작의 중요성

환경 보호의 중심: 콘텐츠 제작 과정은 에너지 사용, 자원 소비, 폐기물 생성 등 다양한 환경적 영향을 끼칩니다. 지속 가능한 콘텐츠 제작은 이러한 환경적 부담을 최소화하고, 지구의 자원을 보호하는 데 필수적입니다.

사회적 책임과 기업 이미지: 지속 가능한 방식으로 콘텐츠를 제작하는 것은 기업의 사회적 책임을 반영합니다. 이는 브랜드 가치와 기업 이미지를 강화하며, 소비자들에게 긍정적인 메시지를 전달합니다.

지속 가능한 콘텐츠 제작 방법

에너지 효율적인 기술 사용: 콘텐츠 제작에 필요한 에너지를 줄이기 위해 에너지 효율적인 조명, 카메라, 컴퓨터 시스템 등을 사용합니다.

재생가능 에너지의 사용: 제작 과정에서 필요한 전력을 태양광, 풍력 등의 재생가능 에너지원에서 얻는 것을 우선시합니다.

자원의 재활용과 지속 가능한 소싱: 세트 제작, 의상, 소품 등에 사용되는 자재를 재활용 가능하거나 지속 가능한 자원에서 얻는 것을 우선합니다.

지속 가능한 콘텐츠 제작의 사회적 영향

대중의 인식 제고: 지속 가능한 콘텐츠 제작 방식은 대중에게

환경 보호와 지속 가능성에 대한 중요성을 전달하는 데 도움이 됩니다. 이는 시청자들의 환경에 대한 인식과 태도에 긍정적인 변화를 가져올 수 있습니다.

교육적 역할: 지속 가능한 제작 과정에 대한 다큐멘터리, 교육 프로그램 등을 통해, 관련 지식과 실천 방법을 대중에게 교육할 수 있습니다.

산업 표준 및 베스트 사례

산업 내 표준 설정: 지속 가능한 콘텐츠 제작을 위한 표준과 지침을 설정하여, 업계 전반에 걸쳐 환경 보호에 대한 인식과 실천을 촉진합니다.

베스트 프랙티스의 공유: 성공적인 사례와 방법론을 공유하여, 다른 제작자들이 지속 가능한 방식으로 전환할 수 있도록 합니다.

지속 가능한 콘텐츠 제작은 단순히 환경적 측면에서의 필요성을 넘어서, 콘텐츠 산업이 사회적 책임을 다하고 긍정적인 사회적 변화를 이끌어내는 데 중요한 역할을 합니다. 이러한 접근은 콘텐츠 산업의 지속 가능한 미래를 위한 중요한 발걸음이 됩니다.

RE100 참여 기업들의 콘텐츠 전략: RE100에 참여하는 기업들이 어떻게 자신들의 노력을 콘텐츠를 통해 홍보하고 있는지 사례 제시

1.4 배경정리

RE100의 중요성 재확인: 재생가능 에너지 사용의 중요성 강조

RE100 참여 기업들의 콘텐츠 활용 전략

목적과 전략: RE100에 참여하는 기업들은 자사의 재생가능 에너지 및 지속 가능성 노력을 콘텐츠를 통해 적극적으로 홍보합니다. 이는 고객, 투자자, 그리고 대중에게 기업의 환경적 책임과 지속 가능한 비즈니스 모델을 강조하는 데 목적이 있습니다.

사례 연구: RE100 참여 기업들의 콘텐츠 전략

① 다양한 미디어 채널 활용:

대형 기업들은 TV 광고, 소셜 미디어 캠페인, 웹사이트, 기업 블로그 등 다양한 채널을 통해 자사의 RE100 참여 및 환경 보호 노력을 홍보합니다.

예를 들어, Apple은 자사의 웹사이트와 소셜 미디어를 통해 전체 운영에서 100% 재생가능 에너지 사용을 달성한 것을 적극적으로 알리고 있습니다.

② 교육적 콘텐츠 및 스토리텔링:

기업들은 재생가능 에너지 관련 교육 콘텐츠, 인터뷰, 다큐멘터리를 제작하여, 자신들의 지속 가능한 노력을 보다 효과적으로 전달합니다.

예를 들어, Google은 자사의 데이터 센터에서 사용하는 재생가능 에너지 솔루션에 대한 다큐멘터리 시리즈를 제작하여 대중의 이해와 관심을 높였습니다.

③ 파트너십과 협업:

RE100 참여 기업들은 NGO, 정부 기관, 다른 기업들과의 협업을 통해 환경 보호 메시지의 확산에 기여합니다.

예를 들어, IKEA는 지속 가능한 생활을 장려하는 캠페인을 위해 환경 단체와 협력하며, 이를 통해 소비자들에게 지속 가능한 제품과 실천 방법을 소개합니다.

④ 고객 참여 및 커뮤니티 구축:

기업들은 고객들을 대상으로 한 캠페인과 이벤트를 통해 직접적인 참여를 장려하고, 지속 가능성에 대한 공감대를 형성합니다.

예를 들어, 일부 기업들은 고객들이 재생가능 에너지 사용에 대한 자신들의 약속에 동참할 수 있는 방법을 제공합니다.

콘텐츠 전략의 효과

브랜드 이미지 강화: 이러한 콘텐츠 전략은 기업의 브랜드 가치를 강화하고, 소비자들 사이에서 긍정적인 인식을 높입니다.

환경 보호 인식 제고: 또한, 이러한 노력은 환경 보호와 지속 가능한 개발에 대한 대중의 인식을 제고하고, 이 분야에 대한 중요성을 강조합니다.

RE100 참여 기업들의 콘텐츠 전략은 자신들의 환경적 노력을 효과적으로 홍보하고, 대중의 인식과 태도에 긍정적인 영향을 미치는 데 중요한 역할을 합니다. 이러한 전략은 브랜드 가치와 기업의 사회적 책임을 강조하며, 지속 가능한 미래를 향한 중요한 단계로 간주됩니다.

콘텐츠 산업의 역할과 책임: 콘텐츠 산업이 지속 가능한 미래를 만드는 데 기여하는 방법 강조

콘텐츠 산업의 중요한 역할

대중 의식 형성: 콘텐츠 산업은 대중의 의식을 형성하고, 태도와 행동에 영향을 미치는 막강한 힘을 가지고 있습니다. 영화, TV 프로그램, 디지털 미디어, 출판물 등을 통해 지속 가능한 생활 방식, 환경 보호의 중요성에 대해 교육하고, 인식을 제고할 수 있습니다.

지속 가능성을 향한 콘텐츠 전략

환경 친화적 제작 방식: 콘텐츠 제작 과정에서 재생가능 에너지 사용, 자원의 효율적 사용, 폐기물 최소화 등 지속 가능한 제작 방법을 채택합니다.

지속 가능한 콘텐츠 메시징: 콘텐츠 내에서 지속 가능한 생활

방식, 에너지 효율, 환경 보호 등의 주제를 적극적으로 포함시켜 대중의 인식을 증진시킵니다.

교육적 콘텐츠와 인식 개선

교육 및 인식 개선 프로그램: 학교, 대학, 공공 기관 등을 대상으로 한 교육적 콘텐츠를 통해 지속 가능한 발전과 환경 보호에 대한 지식과 인식을 높입니다.

캠페인 및 공익 광고: 환경 보호, 재생가능 에너지, 지속 가능한 개발 등을 주제로 한 캠페인과 공익 광고를 통해 사회적 메시지를 전달하고, 대중의 참여를 유도합니다.

지속 가능한 미래를 위한 파트너십

산업 간 협력: 다른 산업과의 협력을 통해 지속 가능성에 대한 메시지를 강화하고, 공동의 목표를 달성하기 위한 파트너십을 구축합니다.

정책 옹호 및 지원: 환경 보호 및 지속 가능한 개발을 지원하는 정책과 법률을 옹호하고 지원함으로써, 산업 전반의 지속 가능성을 촉진합니다.

콘텐츠 산업의 지속 가능한 미래 비전

지속 가능한 콘텐츠 산업 모델: 지속 가능한 콘텐츠 산업의 미래 모델을 개발하고, 이를 실천함으로써 전반적인 산업의 지속 가능성을 높입니다.

글로벌 영향력과 리더십: 콘텐츠 산업은 글로벌 영향력을 활용하여 지속 가능한 발전을 위한 전 세계적인 노력에 기여하고, 이 분야에서의 리더십을 발휘합니다.

콘텐츠 산업은 그 자체의 운영방식과 제작된 콘텐츠를 통해 지속 가능한 미래를 만드는 데 중요한 역할을 합니다. 이 산업은 대중의 인식과 태도를 형성하고, 지속가능한 변화를 촉진하는 데 중요한 영향력 보유, 지속 가능한 콘텐츠 산업의 발전은 더 나은 환경적, 사회적 미래를 위한 길을 제시합니다.

2. RE100의 정의와 목표
2-1. 전세계적인 RE100의 현황

RE100 참여 기업의 글로벌 확산

참여 기업의 다양성: RE100에는 다양한 규모와 산업 분야의 기업들이 참여하고 있습니다. 이들 기업은 글로벌 IT 기업, 금융 서비스, 제조, 소매, 에너지, 그리고 소비재 등 다양한 분야에서 온실가스 배출 감소와 재생가능 에너지로의 전환을 추진하고 있습니다.

지역별 확산: 처음에는 주로 유럽과 북미 지역의 기업들이 RE100에 참여했으나, 현재는 아시아, 호주, 남미 등 세계 여러 지역으로 확산되고 있습니다. 이는 RE100의 글로벌 영향력이 점차 증가하고 있음을 나타냅니다.

지역별 RE100 참여 현황

유럽: 유럽은 RE100 이니셔티브의 선도적인 참여 지역 중 하나입니다. 특히, 영국, 독일, 프랑스 등의 국가에서 활발한 참여가 이루어지고 있으며, 이러한 국가들은 재생가능 에너지 정책과 RE100 참여 기업에 대한 정부의 지원을 통해 이니셔티브를 강화하고 있습니다.

북미: 북미, 특히 미국은 많은 대기업들이 RE100에 참여하고 있으며, 캘리포니아주, 뉴욕주 등 일부 주에서는 재생가능 에너

지에 대한 강력한 정책을 통해 이러한 노력을 지원하고 있습니다.

아시아: 아시아에서는 일본, 한국, 인도 등에서 RE100 참여가 점차 증가하고 있습니다. 이 지역의 기업들은 재생가능 에너지 소싱, 지속 가능한 비즈니스 모델 전환 등을 통해 RE100 목표 달성을 추구하고 있습니다.

RE100의 성과와 도전

에너지 전환의 성과: RE100에 참여하는 많은 기업들은 자신들의 에너지 소비에서 상당한 비율을 재생가능 에너지로 전환하는 데 성공했습니다. 일부는 이미 100% 재생가능 에너지 목표를 달성했으며, 다른 기업들도 이를 향해 가고 있습니다.

도전과 기회: RE100 참여 기업들은 재생가능 에너지의 가용성, 비용, 정책 및 규제 환경 등 다양한 도전에 직면해 있습니다. 이러한 도전을 극복하기 위해, 기업들은 혁신적인 솔루션, 정부 및 이해관계자와의 협력, 재생가능 에너지 시장의 개발에 집중하고 있습니다.

RE100의 글로벌 영향력

시장 변화 촉진: RE100 참여 기업들의 수요는 재생가능 에너지 시장에 긍정적인 영향을 미치고 있으며, 이는 재생가능 에너지 기술의 혁신과 비용 감소를 촉진하고 있습니다.

정책 및 인식의 변화: RE100 이니셔티브는 정부와 정책 입안자들에게 재생가능 에너지를 지원하고 촉진하는 강력한 정책을 마련하도록 영향을 미치고 있습니다. 이는 또한 일반 대중의 인식을 제고하고, 지속 가능한 에너지 사용에 대한 지지를 확산시키는 데 기여하고 있습니다.

전 세계적으로 RE100의 현황과 발전 과정은 기업들이 환경적 지속 가능성을 향한 중요한 단계를 밟고 있음을 보여주며, 이는 글로벌 에너지 전환 및 지속 가능한 미래를 위한 중요한 움직임입니다.

2-2. RE100의 발전 과정

RE100의 창설과 초기 단계

창설 배경: RE100은 2014년 기후 변화에 대응하고 재생가능 에너지 사용을 촉진하기 위해 창설되었습니다. 이 이니셔티브는 기업들이 환경적 책임을 다하고, 지속 가능한 비즈니스 모델로의 전환을 가속화하는 것을 목표로 합니다.

초기 참여 기업: 초기에는 주로 환경에 대한 강한 의식을 가진 기업들이 RE100에 참여했습니다. 이들 기업은 재생가능 에너지에 대한 투자와 사용을 통해 업계의 표준을 설정하고자 했습니다.

RE100의 확산과 글로벌 도달

참여 기업의 증가: 시간이 지남에 따라 RE100은 점점 더 많은 기업들의 관심을 끌었고, 다양한 산업과 국가에서 참여 기업이 증가했습니다. 이는 RE100의 영향력과 중요성이 점차 확대되고 있음을 나타냅니다.

국제적인 인식의 제고: RE100의 활동과 성과는 세계적으로 재생가능 에너지의 중요성을 강조하는 데 기여했으며, 기업과 정책 입안자들 사이에서 재생가능 에너지에 대한 인식을 높였습니다.

RE100의 전략적 발전

정책 옹호 및 협력: RE100은 정부와의 협력을 통해 재생가능 에너지에 대한 지원 정책과 프레임워크를 강화하는 데 중점을 두었습니다. 이는 기업들이 재생가능 에너지로의 전환을 더 쉽게 추진할 수 있도록 도왔습니다.

산업 간 협력 증대: RE100은 참여 기업들 간의 협력을 증대시켜, 공동의 목표 달성을 위한 베스트 프랙티스와 지식 공유를 촉진했습니다.

재생가능 에너지 시장에 대한 영향

시장 수요의 증가: RE100 참여 기업들의 증가는 재생가능 에너지 시장에 강력한 수요 신호를 보냈으며, 이는 에너지 공급자

와 투자자들에게 재생가능 에너지 개발에 대한 명확한 동기를 제공했습니다.

기술 혁신과 비용 절감: 높아진 수요는 재생가능 에너지 기술의 혁신과 비용절감 촉진, 이는 재생가능 에너지가 더 접근 가능하고 경제적으로 효율적인 선택이 되도록 도왔습니다.

지속 가능한 미래를 향한 도전

지속 가능한 미래로의 전환: RE100은 재생가능 에너지로의 전환을 통해 지속 가능한 미래를 향한 중요한 단계를 밟고 있습니다. 이는 기업들이 환경적 지속 가능성을 향한 자신들의 책임을 인식하고 실천에 옮기는 것을 의미합니다.

글로벌 차원의 도전: RE100의 성공적인 발전은 전 세계적으로 재생가능 에너지의 지원과 사용을 증대시키는 데 중요한 역할을 하고 있으나, 여전히 극복해야 할 도전 과제들이 존재합니다. 이에는 에너지 인프라, 정책, 기술, 비용 등의 문제가 포함됩니다.

RE100의 발전 과정은 지속 가능한 에너지 전환을 향한 기업들의 중요한 노력을 보여주며, 이는 글로벌 차원에서 환경 보호와 지속 가능한 개발을 촉진하는 핵심적인 요소입니다. 이러한 움직임은 장기적으로 지구 환경 보호와 지속 가능한 미래를 위한 중요한 기여를 하고 있습니다.

RE100과 글로벌 재생가능 에너지 시장

시장 수요 증가: RE100 참여 기업들의 재생가능 에너지에 대한 수요 증가는 재생가능 에너지 시장의 성장을 가속화했습니다. 이는 재생가능 에너지 기술의 혁신과 비용 감소를 촉진하였습니다.

공급망 전환: 또한, RE100에 참여하는 기업들은 자신들의 공급망에서도 재생가능 에너지 사용을 장려하고 있으며, 이는 산업 전반에 걸쳐 지속 가능한 에너지 소비의 확산을 촉진하고 있습니다.

RE100의 전 세계적인 현황과 발전 과정은 기업들이 지속 가능한 에너지 사용에 대한 중요성을 인식하고, 이를 실천에 옮기는 데 중요한 역할을 하고 있음을 보여줍니다. 이러한 움직임은 장기적으로 지속 가능한 에너지 시스템으로의 전환을 가속화하고, 기후 변화 대응에 기여하고 있습니다.

3. 콘텐츠 산업의 현재와 미래
3-1. 콘텐츠산업의 주요 분야와
각 분야의 특성

콘텐츠산업의 주요 분야

콘텐츠산업은 다양한 분야를 포괄하며, 각각의 분야는 특유의 특성과 동향을 가지고 있습니다. 주요 분야로는 방송, 영화, 디지털 미디어, 출판 등이 있습니다.

① 방송 산업

텔레비전과 라디오: 전통적인 방송 매체로서, 다양한 프로그램과 뉴스, 엔터테인먼트, 교육 콘텐츠를 제공합니다.

디지털 및 스트리밍 서비스: 넷플릭스, 아마존 프라임 비디오와 같은 디지털 스트리밍 서비스가 증가하고 있으며, 전통적인 방송의 경계를 넘어서는 새로운 형태의 콘텐츠를 제공합니다.

② 영화 산업

상업 영화와 독립 영화: 대규모 제작 영화부터 예산이 적은 독립 영화에 이르기까지 다양한 유형의 영화가 제작됩니다.

국제적인 영화제: 칸, 베를린, 선댄스 등의 영화제는 새로운 영화를 소개하고 영화 산업의 동향을 반영합니다.

③ 디지털 미디어

인터넷 기반 콘텐츠: 소셜 미디어, 유튜브, 블로그 등 인터넷을 통해 제공되는 다양한 형태의 콘텐츠가 포함됩니다.

모바일 앱과 게임: 스마트폰 사용의 증가와 함께, 모바일 앱과 게임이 중요한 엔터테인먼트 수단으로 자리잡았습니다.

④ 출판 산업

전통적인 출판: 책, 잡지, 신문 등 인쇄 매체를 통한 콘텐츠 제공이 여전히 중요합니다.

디지털 출판: 전자책(e-books), 오디오북, 디지털 잡지 등 디지털 형태의 출판물이 증가하고 있습니다.

각 분야의 특성

각 콘텐츠 산업 분야는 자체적인 독특한 특성을 가지며, 이는 시장 동향과 소비자의 요구에 따라 변화합니다.

방송 산업의 특성

다양한 콘텐츠 형식: 방송산업은 뉴스, 드라마, 다큐멘터리, 토크쇼, 예능 프로그램 등 다양한 형식의 콘텐츠를 제공합니다. 이러한 다양성은 시청자들에게 넓은 선택권을 부여하며, 다양한 관심사와 취향을 만족시킵니다.

대중적 접근성: 텔레비전과 라디오 방송은 매우 넓은 대중에게

도달할 수 있는 수단입니다. 이는 콘텐츠의 대중적 접근성과 영향력을 보장합니다.

① 기술 발전과 변화

디지털 방송의 도입: 아날로그 방송에서 디지털 방송으로의 전환은 화질과 음질의 향상, 다양한 채널 선택, 개인화된 시청 경험을 가능하게 했습니다.

스트리밍 서비스의 부상: Netflix, Hulu, Amazon Prime Video와 같은 스트리밍 서비스의 부상은 방송산업에 혁신적인 변화를 가져왔습니다. 이는 시청자들이 원하는 시간에 원하는 콘텐츠를 선택하여 시청할 수 있게 하며, 전통적인 방송 시청 패턴을 변화시키고 있습니다.

② 시청자 참여와 인터랙티브 콘텐츠

소셜 미디어와의 통합: 방송 콘텐츠는 종종 소셜 미디어와 통합되어 시청자 참여를 증대시킵니다. 투표, 댓글, 실시간 피드백 등을 통해 시청자들이 프로그램에 직접 참여할 수 있습니다.

인터랙티브 프로그래밍: 일부 프로그램은 인터랙티브 요소를 도입하여 시청자가 스토리 라인에 영향을 미칠 수 있도록 합니다. 이는 시청자들에게 더욱 몰입감 있는 경험을 제공합니다.

③ 광고 및 수익 모델의 변화

타깃 광고와 맞춤형 콘텐츠: 디지털 기술의 발전은 방송사들이 보다 정확하게 타깃팅된 광고를 제공할 수 있게 했습니다. 이는 광고주들에게 더 효과적인 광고 기회를 제공하며, 시청자들에게는 관련성 높은 광고를 선사합니다.

구독 기반 모델: 많은 스트리밍 서비스들이 구독 기반의 수익 모델을 채택하고 있습니다. 이는 광고에 의존하는 전통적인 방송 수익 모델과 대조를 이룹니다.

④ 글로벌화와 콘텐츠의 다양성

글로벌 시장 접근: 스트리밍 서비스의 확산은 방송 콘텐츠가 글로벌 시장에 더 쉽게 접근할 수 있게 했습니다. 이는 다양한 문화와 언어의 콘텐츠가 세계적으로 소개되고 소비될 수 있는 기회를 제공합니다.

문화적 다양성: 다양한 문화적 배경을 반영하는 콘텐츠의 증가는 시청자들에게 다양한 관점과 이야기를 제공합니다. 이는 세계 각국의 문화와 가치를 이해하는 데 중요한 역할을 합니다.

방송산업은 이러한 다양한 특성을 바탕으로 끊임없이 발전하고 있으며, 이는 시청자들에게 더 풍부하고 다양한 콘텐츠 경험을 제공합니다. 기술의 발전, 시청자의 참여 증대, 광고 및 수익 모델의 혁신, 그리고 글로벌 시장 접근의 확대는 방송산업의 미래를 형성하는 주요 요소입니다.

영화 산업의 특성

영화산업의 다양성과 창의성

장르의 다양성: 영화산업은 드라마, 액션, 코미디, 공포, 판타지, SF 등 다양한 장르를 포괄합니다. 이러한 장르의 다양성은 관객에게 다양한 선택과 경험을 제공합니다.

창의적 스토리텔링: 영화는 강력한 스토리텔링과 창의적인 내러티브를 통해 감동적이고 생각을 자극하는 경험을 제공합니다.

① 기술적 발전과 영화 제작

고화질 및 첨단 특수 효과: 4K, 8K 해상도, 3D 기술, CGI(컴퓨터 생성 이미지)와 같은 첨단 기술이 영화 제작에 활용되어 시각적으로 압도적인 경험을 선사합니다.

영화 제작 기법의 혁신: 드론 촬영, 가상현실(VR) 및 증강현실(AR) 기술의 도입 등은 영화 제작 방식을 혁신하고, 새로운 시각적 스타일과 이야기 전달 방식을 탐구합니다.

② 글로벌 시장과 영화산업

국제적인 협력: 다국적 제작팀, 글로벌 배급 네트워크를 통해 제작되는 영화들은 세계적인 관객을 대상으로 합니다.

다양한 문화의 융합: 글로벌 시장 접근은 다양한 문화적 배경을 가진 영화들이 세계적인 관심을 받고, 문화적 다양성을 증진시킵니다.

③ 영화산업의 경제적 측면

투자 및 수익 구조: 대형 영화 프로젝트는 상당한 투자가 필요하며, 국제적인 배급을 통해 수익을 창출합니다. 독립 영화는 보다 낮은 예산으로 제작되지만 창의적인 내용으로 주목받습니다.

영화제와 시상식: 칸, 베를린, 베니스 영화제와 아카데미 시상식 등은 영화 산업의 중요한 이벤트로, 영화의 예술적 가치를 평가하고 산업 내 네트워킹을 촉진합니다.

④ 사회적 및 문화적 영향

문화적 대표성: 영화는 다양한 사회적, 문화적 이슈를 반영하고, 대중에게 중요한 메시지를 전달하는 역할을 합니다. 이는 사회적 인식을 형성하고 대화를 촉진하는 데 기여합니다.

영화로 인한 변화: 강력한 영화는 사회적, 정치적 변화를 이끌거나 대중의 관심을 유도하는 데 영향력을 발휘할 수 있습니다.

영화산업은 기술적 혁신, 글로벌 시장 접근, 경제적 측면, 그리고 사회적 및 문화적 영향력이 결합된 복합적인 산업입니다. 이 산업은 지속적인 창의성과 혁신을 통해 관객에게 새로운 경험을 제공하며, 글로벌 문화적 대화와 사회적 인식에 중요한 기여를 하고 있습니다.

디지털 미디어의 특성

디지털 미디어는 현대 사회에서 매우 중요한 역할을 하며, 그 특성은 다음과 같이 다양하게 나타납니다.

① 상호작용성과 사용자 참여

사용자 중심의 콘텐츠: 디지털 미디어는 사용자의 참여와 상호작용을 중심으로 합니다. 소셜 미디어, 블로그, 온라인 포럼 등에서 사용자들은 콘텐츠 생성, 공유, 토론에 직접 참여할 수 있습니다.

사용자 맞춤형 경험: 알고리즘과 데이터 분석을 통해 사용자의 관심사와 행동 패턴에 맞춰 개인화된 콘텐츠를 제공합니다.

② 기술의 급속한 발전

디지털 혁신: 디지털 미디어는 기술의 발전과 밀접하게 연결되어 있습니다. 새로운 디지털 플랫폼, 애플리케이션, 도구들이 지속적으로 개발되어 콘텐츠 소비 방식을 혁신합니다.

멀티미디어 포맷: 텍스트, 이미지, 비디오, 오디오 등 다양한 멀티미디어 포맷을 통합하여 사용자에게 풍부한 콘텐츠 경험을 제공합니다.

③ 즉각적인 정보 전달과 글로벌 리치

실시간 콘텐츠: 실시간 스트리밍, 소셜 미디어 피드 등을 통해

사용자들은 전 세계에서 일어나는 사건과 이슈에 즉각적으로 접근할 수 있습니다.

글로벌 연결성: 인터넷의 글로벌 네트워크를 통해 전 세계 어디서나 콘텐츠를 공유하고 접근할 수 있으며, 이는 문화적 경계를 넘어선 커뮤니케이션과 정보 교류를 가능하게 합니다.

④ 디지털 미디어의 경제적 영향

수익 창출 모델: 광고, 구독료, 프리미엄 콘텐츠, 스폰서십 등 다양한 수익 창출 모델을 통해 디지털 미디어는 경제적 가치를 창출합니다.

마케팅과 브랜딩: 디지털 미디어는 기업과 브랜드에게 효과적인 마케팅 및 브랜딩 수단을 제공합니다. 타겟 광고, 소셜 미디어 캠페인 등을 통해 특정 대상과 효과적으로 소통할 수 있습니다.

⑤ 사회적 영향과 문화적 다양성

사회적 인식과 참여: 디지털 미디어는 사회적 이슈에 대한 인식을 제고하고, 온라인 커뮤니티와 소셜 미디어를 통해 사회적 참여를 촉진합니다.

문화적 다양성의 증진: 다양한 문화적 배경을 가진 콘텐츠가 인터넷을 통해 손쉽게 공유되며, 이는 전 세계적인 문화적 다양성과 상호 이해를 증진시키는 데 기여합니다.

디지털 미디어는 상호작용성, 기술의 혁신, 실시간 정보 전달, 글로벌 연결성 등을 특징으로 하며, 이를 통해 정보와 문화의 교류를 촉진합니다. 또한, 경제적 영향력과 사회적, 문화적 다양성에도 중요한 역할을 하며, 현대 사회에서 빠르게 변화하는 콘텐츠 소비 패턴과 문화적 트렌드를 반영하고 있습니다.

출판 산업의 특성

① 전통적인 출판과 디지털 출판의 결합

다양한 출판 형태: 출판사업은 전통적인 종이 책, 잡지, 신문 등의 인쇄 매체와 전자책, 오디오북, 디지털 잡지 등을 포함하는 디지털 출판 형태를 모두 포괄합니다.

디지털 전환: 디지털 기술의 발전은 출판산업에 큰 변화를 가져왔으며, 전자책, 오디오북, 온라인 출판 플랫폼의 증가는 전통적인 출판 방식을 보완하고 있습니다.

② 콘텐츠 다양성과 타깃팅

콘텐츠의 다양성: 출판사업은 교육, 문학, 비즈니스, 과학, 자기계발 등 다양한 주제와 장르의 책과 출판물을 제공합니다.

타깃팅과 맞춤형 콘텐츠: 디지털 출판을 통해 특정 독자층을 대상으로 한 맞춤형 콘텐츠를 제공할 수 있으며, 이는 독자의 관심과 필요에 더욱 밀접하게 부합합니다.

③ 기술과 출판의 융합

전자책과 디지털 플랫폼: 전자책 독자기기와 스마트폰, 태블릿을 사용한 디지털 독서가 증가하고 있으며, Kindle, Apple Books 등 다양한 플랫폼이 이를 지원합니다.

인터랙티브 콘텐츠: 일부 디지털 출판물은 인터랙티브 요소를 포함하여 독자의 참여를 유도하고, 교육적 가치를 높입니다.

④ 출판산업의 경제적 측면

수익 모델의 변화: 전통적인 출판 수익 모델에 더해, 구독료, 온라인 액세스, 스폰서십, 콘텐츠 라이선싱 등 다양한 수익 창출 방법이 사용됩니다.

자가 출판의 증가: 인터넷과 디지털 플랫폼의 발달로, 저자들이 자가 출판을 통해 직접 독자와 소통하고 수익을 창출할 수 있는 기회가 증가했습니다.

⑤ 사회적 및 문화적 영향

지식과 문화의 보급: 출판산업은 지식과 문화를 보급하는 핵심적인 수단입니다. 다양한 출판물을 통해 교육, 문화, 역사, 사회적 이슈 등에 대한 정보와 인사이트를 제공합니다.

문학과 예술의 촉진: 문학적, 예술적 창작물의 출판은 작가와 예술가들에게 표현의 장을 제공하며, 다양한 사회적 및 문화적 대화를 촉진합니다.

출판산업은 전통적인 방식과 디지털 혁신의 결합을 통해 계속해서 발전하고 있으며, 이를 통해 독자에게 더욱 다양하고 풍부한 콘텐츠를 제공합니다. 디지털 기술의 활용은 출판산업에 새로운 기회를 제공하며, 이는 궁극적으로 지식과 문화의 접근성과 다양성을 증진시키는 데 기여합니다.

3-2. 콘텐츠 소비 트렌드

최근 몇 년간 콘텐츠 소비의 트렌드는 디지털 기술의 발전, 인터넷의 보급, 그리고 사용자 취향의 변화에 크게 영향을 받아왔습니다. 이러한 트렌드를 자세히 살펴보겠습니다.

스트리밍 서비스의 증가

스트리밍 서비스의 성장 배경

디지털 인터넷 기술의 발달: 고속 인터넷의 보급과 스마트 기기의 사용 증가는 언제 어디서나 다양한 콘텐츠에 접근할 수 있는 환경을 조성했습니다.

사용자의 수요 변화: 사용자들은 시간과 장소에 구애받지 않고, 개인의 취향에 맞춘 콘텐츠를 자유롭게 선택하고 싶어합니다. 이러한 수요는 스트리밍 서비스의 성장을 촉진했습니다.

스트리밍 서비스의 주요 특징

온디맨드 콘텐츠 제공: 스트리밍 서비스는 사용자가 원하는 시간에 원하는 콘텐츠를 시청할 수 있는 온디맨드 방식을 제공합니다. 이는 전통적인 방송 스케줄에 의존하는 형태와 대비됩니다.

개인화 및 맞춤형 추천: 알고리즘을 활용한 개인화된 콘텐츠 추천은 사용자 경험을 최적화하고, 사용자의 취향에 부합하는 콘텐츠를 제안합니다.

스트리밍 서비스의 대표적인 예

넷플릭스: 전 세계적으로 가장 인기 있는 스트리밍 서비스 중 하나로, 다양한 장르와 국가의 오리지널 콘텐츠를 제공합니다.

디즈니+, 아마존 프라임 비디오: 각각 디즈니의 방대한 콘텐츠 라이브러리와 아마존의 오리지널 시리즈 및 영화를 제공합니다.

스트리밍 서비스의 영향

전통적인 TV 방송의 변화: 스트리밍 서비스의 증가는 전통적인 TV 채널과 케이블 방송의 시청 패턴에 변화를 가져왔습니다.

콘텐츠 제작의 다변화: 오리지널 콘텐츠 제작의 증가와 함께 콘텐츠 제작자와 배우, 감독에게 새로운 기회를 제공하고 있습니다.

미래 전망

경쟁의 심화: 다양한 스트리밍 서비스 간의 경쟁은 더 많은 오리지널 콘텐츠와 혁신적인 서비스를 촉진할 것입니다.

시장의 지속적인 성장: 스트리밍 시장은 계속해서 성장할 것으로 예상되며, 이는 콘텐츠 소비 방식의 근본적인 변화를 더욱 공고히 할 것입니다.

스트리밍 서비스의 증가는 현대 콘텐츠 소비의 핵심적인 트렌드로, 디지털 시대의 콘텐츠 접근성, 다양성 및 개인화에 큰 영향을 미치고 있습니다. 이러한 변화는 앞으로도 계속해서 콘텐츠 산업의 발전 방향과 사용자 경험을 형성할 것입니다.

모바일 콘텐츠 소비의 증가

최근 몇 년 사이에 모바일 기기를 통한 콘텐츠 소비가 급증하고 있습니다. 이러한 현상은 기술적 발전, 사용자 행동의 변화, 그리고 새로운 미디어 형식의 등장에 의해 촉진되었습니다. 이에 대해 자세히 살펴보겠습니다.

① 스마트폰과 태블릿의 보급

휴대성과 접근성: 스마트폰과 태블릿의 널리 퍼진 사용은 언제 어디서나 인터넷에 접속하여 다양한 콘텐츠를 소비할 수 있는 편의성을 제공합니다.

다기능성: 이러한 모바일 기기들은 통화, 메시징, 인터넷 서핑,

비디오 시청, 게임 등 다양한 기능을 하나의 기기에서 제공합니다.

② 소셜 미디어의 역할

콘텐츠의 공유와 확산: 소셜 미디어 플랫폼들은 사용자들이 콘텐츠를 쉽게 공유하고 확산시킬 수 있는 효과적인 수단을 제공합니다.

실시간 상호작용: 인스타그램, 페이스북, 트위터 등을 통해 사용자들은 실시간으로 정보를 공유하고, 소통할 수 있습니다.

③ 모바일 애플리케이션의 다양성

앱을 통한 콘텐츠 소비: 다양한 모바일 앱들은 뉴스, 비디오, 음악, 게임, 교육 등 다양한 유형의 콘텐츠를 제공합니다.

개인화된 사용자 경험: 많은 앱들이 사용자의 선호와 행동 데이터를 분석하여 맞춤형 콘텐츠를 제공합니다.

④ 비디오 콘텐츠의 증가

유튜브와 스트리밍 앱: 유튜브, 넷플릭스, 아마존 프라임 비디오와 같은 앱들은 모바일 기기에서 쉽게 접근할 수 있는 비디오 콘텐츠를 제공합니다.

짧은 형식의 비디오: 틱톡과 같은 플랫폼은 짧은 형식의 비디오를 제공하여, 빠르고 간편한 콘텐츠 소비를 가능하게 합니다.

⑤ 통신 기술의 발전

빠른 인터넷 속도: 4G와 5G 네트워크의 도입으로 모바일 인터넷 속도가 향상되어, 고화질의 비디오 스트리밍과 대용량 콘텐츠 다운로드가 용이해졌습니다.

모바일 콘텐츠 소비의 증가는 현대인의 일상 생활에 깊숙이 통합되어 있으며, 앞으로도 이러한 트렌드는 계속해서 콘텐츠 산업의 발전 방향과 사용자 경험을 형성하는 데 중요한 역할을 할 것으로 예상됩니다. 모바일 기기의 편리함과 다기능성, 소셜 미디어의 활용, 다양한 앱을 통한 콘텐츠 접근성은 사용자들의 소비 습관과 라이프스타일에 깊은 영향을 미치고 있습니다.

인터랙티브 콘텐츠와 게임화

최근 콘텐츠 산업에서 인터랙티브 콘텐츠와 게임화는 중요한 트렌드로 부상하고 있습니다. 이 두 개념은 사용자의 참여를 증진시키고, 콘텐츠에 대한 몰입도를 높이는 데 기여합니다. 이에 대해 자세히 살펴보겠습니다.

① 인터랙티브 콘텐츠의 특성

사용자 참여 중심: 인터랙티브 콘텐츠는 사용자가 콘텐츠의 경험에 직접적으로 참여하고, 그 결과에 영향을 미칠 수 있도록 합니다.

스토리라인의 선택: 예를 들어, 인터랙티브 영화나 비디오 게임

에서 사용자는 스토리의 진행 방향을 선택할 수 있으며, 이는 콘텐츠의 결말에 다양한 변화를 가져옵니다.

② 게임화의 적용

학습과 마케팅에서의 활용: 게임화는 특히 교육과 마케팅 분야에서 인기를 끌고 있습니다. 이는 학습이나 제품 홍보에 게임의 요소를 도입하여 사용자의 관심과 참여를 증진시키는 방법입니다.

보상과 도전: 게임화는 사용자에게 목표 달성, 점수 획득, 레벨업 등의 보상 시스템을 제공하여 참여를 유도합니다.

③ 인터랙티브 콘텐츠와 게임화의 장점

몰입도와 참여 증진: 사용자가 콘텐츠에 능동적으로 참여함으로써 더 높은 몰입도와 만족감을 경험할 수 있습니다.

교육적 효과: 학습 콘텐츠에 게임화를 적용하면 학습자의 동기부여가 증가하고, 더 효과적인 학습이 가능해집니다.

④ 인터랙티브 콘텐츠와 게임화의 도전 과제

고품질 콘텐츠의 제작: 인터랙티브 콘텐츠와 게임화는 고품질의 디자인과 개발이 필요하며, 이는 제작 비용과 시간이 많이 드는 작업일 수 있습니다.

사용자 경험의 최적화: 다양한 사용자의 요구와 기대를 만족시키는 사용자 경험을 설계하는 것이 중요합니다.

인터랙티브 콘텐츠와 게임화는 콘텐츠 소비의 미래를 형성하고 있는 중요한 요소입니다. 사용자의 적극적인 참여를 유도하고, 콘텐츠에 대한 더 깊은 이해와 관심을 불러일으키는 이러한 접근 방식은 앞으로도 계속해서 다양한 분야에서 활용될 것으로 예상됩니다.

콘텐츠의 짧은 형식과 시각적 스토리텔링

최근 콘텐츠 소비의 트렌드 중 하나는 짧은 형식의 콘텐츠와 시각적 스토리텔링의 증가입니다. 이러한 형식은 디지털 시대의 빠른 정보 소비 패턴과 밀접하게 연결되어 있습니다.

① 짧은 형식 콘텐츠의 특징

간결하고 직관적: 짧은 형식의 콘텐츠는 시간적 제약이 적고 간결하며, 사용자가 쉽고 빠르게 정보를 소비할 수 있도록 합니다.

소셜 미디어와의 결합: 특히 소셜 미디어 플랫폼에서 인기가 높으며, 사용자들은 짧은 클립, 이미지, GIF 등을 통해 정보를 공유하고 소통합니다.

틱톡, 인스타그램 스토리: 틱톡, 인스타그램 스토리 등의 플랫폼은 짧은 형식의 비디오나 이미지를 통해 효과적으로 이야기를 전달하고, 사용자의 참여를 유도합니다.

② 시각적 스토리텔링의 중요성

강력한 시각적 요소: 시각적 스토리텔링은 이미지, 비디오, 인포그래픽 등을 활용하여 이야기를 전달합니다. 이러한 시각적 요소는 정보의 전달을 더욱 명확하고 강력하게 만듭니다.

감정적 연결: 시각적으로 풍부한 스토리텔링은 사용자와 감정적으로 연결되는 경험을 제공하며, 이는 메시지의 기억에 남는 효과를 증진시킵니다.

③ 짧은 형식 콘텐츠와 시각적 스토리텔링의 장점

빠른 정보 전달: 사용자는 짧은 시간 내에 중요한 정보를 얻을 수 있으며, 이는 바쁜 현대 생활에 적합합니다.

광범위한 도달: 짧은 형식과 시각적 스토리텔링은 다양한 연령대와 배경을 가진 사람들에게 쉽게 접근할 수 있어, 메시지의 도달 범위를 넓힙니다.

④ 시각적 스토리텔링의 적용

마케팅과 광고: 브랜드는 시각적 스토리텔링을 통해 제품과 서비스의 특징을 효과적으로 전달하고, 소비자와의 감정적 연결을 강화합니다.

교육적 활용: 교육적 콘텐츠에서도 시각적 스토리텔링은 복잡한 개념을 쉽고 재미있게 설명하는 데 활용됩니다.

짧은 형식의 콘텐츠와 시각적 스토리텔링은 현대 디지털 미디어 환경에서 매우 효과적인 방법으로 자리잡고 있습니다. 이러한 형식은 정보의 빠른 전달과 강력한 메시지 전달에 기여하며, 사용자의 주의를 끌고 참여를 유도하는 중요한 수단으로 활용되고 있습니다.

가상현실(VR)과 증강현실(AR)의 사용

최근 몇 년 사이에 가상현실(VR)과 증강현실(AR) 기술은 다양한 분야에서 활용되며 중요한 트렌드로 자리 잡았습니다. 이 기술들은 사용자에게 새로운 차원의 경험을 제공하며, 콘텐츠 소비 방식을 혁신하고 있습니다.

① 가상현실(VR)의 특징

완전 몰입형 경험: VR은 사용자를 완전히 다른 환경으로 이동시키는 몰입형 경험을 제공합니다. VR 헤드셋을 착용하면 실제와 유사한 가상의 환경을 경험할 수 있습니다.

다양한 분야의 활용: 엔터테인먼트, 교육, 훈련, 부동산, 의료 등 다양한 분야에서 VR이 활용되고 있습니다. 예를 들어, VR 게임은 사용자에게 현실과 다른 환경에서의 게임 경험을 제공합니다.

② 증강현실(AR)의 특징

현실 세계의 확장: AR은 현실 세계에 가상의 요소를 추가하여 사용자의 경험을 확장합니다. 스마트폰이나 태블릿의 카메라를 통해 현실 세계에 가상의 이미지나 정보를 중첩시키는 방식입니다.

상호작용과 정보 제공: AR은 제품 시연, 교육, 네비게이션, 마케팅 등에서 사용자와의 상호작용을 강화하고 추가 정보를 제공하는 데 사용됩니다.

③ VR과 AR의 장점

현실감 있는 경험: VR과 AR 모두 사용자에게 현실감 있는 경험을 제공하며, 이는 학습, 훈련, 오락 등에서의 효과를 극대화합니다.

창의적인 표현: 이 기술들은 새롭고 창의적인 방법으로 콘텐츠를 표현하고 전달할 수 있는 기회를 제공합니다.

④ VR과 AR의 도전과제

기술적 한계와 비용: 아직까지는 VR과 AR 기술이 일부 기술적 한계를 가지고 있으며, 고품질의 콘텐츠를 제작하는 데 상당한 비용이 들 수 있습니다.

사용자 접근성: 모든 사용자가 VR이나 AR 기기에 쉽게 접근하거나 사용할 수 있는 것은 아닙니다. 이는 기술의 대중화를 위한 중요한 과제로 남아 있습니다.

가상현실과 증강현실은 현대 콘텐츠 산업에서 혁신적인 변화를 이끌고 있으며, 이는 향후 몇 년 동안 계속해서 중요한 역할을 할 것으로 예상됩니다. 이 기술들은 사용자에게 더욱 풍부하고 몰입감 있는 경험을 제공하며, 콘텐츠의 소비 방식을 다양화하고 풍부하게 만듭니다.

3-3. 콘텐츠산업의 글로벌 경쟁 구도

콘텐츠 산업은 전 세계적으로 급속하게 성장하고 있으며, 이에 따라 글로벌 경쟁 구조도 빠르게 변화하고 있습니다. 이 분야의 글로벌 경쟁 구조에 대해 자세히 살펴보겠습니다.

글로벌 시장의 확장

콘텐츠 산업의 글로벌 경쟁 구조는 지속적으로 변화하고 있으며, 특히 글로벌 시장의 확장은 이 산업의 중요한 동향 중 하나입니다. 이러한 글로벌 시장의 확장을 자세히 살펴보겠습니다.

① 글로벌 시장의 확장 배경

디지털 기술의 발전: 인터넷과 디지털 기술의 발달은 전 세계적으로 콘텐츠를 쉽게 접근하고 공유할 수 있는 환경을 만들었습니다. 이는 콘텐츠 제작자들이 지역적 한계를 넘어 전 세계

시장을 대상으로 할 수 있는 기회를 제공했습니다.

경제적 세계화: 세계화는 다양한 문화와 시장에 대한 접근을 용이하게 하며, 콘텐츠 산업의 글로벌 경쟁력을 강화시킵니다.

② 글로벌 시장 확장의 주요 요소

현지화와 글로벌 전략: 글로벌 시장에서 성공하기 위해서는 현지 문화와 시장 특성을 이해하고, 이에 맞는 현지화 전략이 필요합니다. 동시에, 글로벌 트렌드를 반영하는 전략도 중요합니다.

다국적 기업의 역할: 넷플릭스, 디즈니, 아마존과 같은 다국적 미디어 기업들은 전 세계적인 배포 네트워크와 브랜드 파워를 바탕으로 글로벌 콘텐츠 시장에서 중요한 역할을 합니다.

③ 글로벌 콘텐츠 시장의 특징

다양한 콘텐츠의 수용: 글로벌 시장은 다양한 문화적 배경을 가진 콘텐츠를 수용함으로써, 국제적인 관점에서의 다양성과 포용성을 증진시킵니다.

경쟁과 협력의 복합적 관계: 글로벌 콘텐츠 시장에서는 경쟁과 협력이 동시에 이루어집니다. 기업들은 시장 점유율을 확대하기 위해 경쟁하지만, 동시에 국제 공동 제작과 같은 협력을 통해 시너지를 창출합니다.

④ 글로벌 시장의 도전과 기회

문화적 차이와 규제의 이해: 글로벌 시장에서 성공하려면 다양한 문화적 차이와 국가별 규제를 이해하고 적응하는 것이 중요합니다.

기술적 혁신과 적응: 새로운 기술의 등장과 디지털 플랫폼의 변화는 글로벌 시장에서 경쟁력을 유지하기 위한 지속적인 혁신과 적응을 요구합니다.

글로벌 시장의 확장은 콘텐츠 산업에 있어 중대한 변화를 가져오고 있으며, 이는 산업 전반에 걸친 경쟁 구조와 전략에 영향을 미치고 있습니다. 새로운 기술의 발전, 다양한 문화적 요소의 수용, 글로벌 네트워크의 확장은 앞으로도 콘텐츠 산업의 글로벌 경쟁력을 형성하는 데 핵심적인 역할을 할 것입니다.

경쟁력 강화를 위한 전략

콘텐츠 산업의 글로벌 경쟁 구조에서 기업들이 경쟁력을 강화하기 위해 채택하고 있는 전략들은 다양합니다. 이러한 전략들은 기술 혁신, 시장 다변화, 현지화, 파트너십 구축 등을 포함하며, 산업의 지속 가능한 성장과 글로벌 영향력을 확대하는 데 중요한 역할을 합니다.

① 기술 혁신을 통한 경쟁력 강화

새로운 기술의 채택: 가상현실(VR), 증강현실(AR), 인공지능(AI), 빅데이터 등의 최신 기술을 채택하여 콘텐츠 제작 및 배포 방식을 혁신합니다.

사용자 경험 개선: 첨단 기술을 활용하여 사용자 경험을 향상시키고, 이를 통해 시청자의 만족도와 충성도를 높입니다.

② 시장 다변화와 글로벌 전략

다양한 시장 진출: 다양한 국가와 지역 시장에 진출하여 글로벌 시장 점유율을 확대합니다.

다문화 콘텐츠 개발: 글로벌 시장에 적합한 다양한 문화적 배경을 가진 콘텐츠를 개발하여, 전 세계 다양한 관객에게 어필합니다.

③ 현지화 전략

문화적 적응: 각 지역의 문화적 특성과 시청자 취향을 이해하고, 이에 맞춘 콘텐츠를 제작하여 현지 시장에서의 수용성을 높입니다.

현지 언어의 사용: 다양한 언어로의 번역 및 더빙을 통해 현지 시장에서의 접근성을 향상시킵니다.

④ 파트너십과 협업

산업 간 협업: 다른 산업과의 협업을 통해 새로운 시장을 개척하고, 상호 보완적인 비즈니스 기회를 창출합니다.

국제 공동 제작: 다른 국가의 콘텐츠 제작자나 회사와의 공동 제작을 통해 새로운 아이디어와 자원을 공유하며, 글로벌 시장

에서의 영향력을 강화합니다.

⑤ 지속 가능한 성장 전략

친환경적 접근: 지속 가능한 콘텐츠 제작과 운영 방식을 도입하여 환경적 책임을 다하고, 이를 통해 브랜드 이미지와 신뢰도를 높입니다.

사회적 책임 투자: 사회적 책임 프로그램을 통해 기업의 사회적 가치를 강화하고, 이를 마케팅 전략에 통합합니다.

콘텐츠 산업의 글로벌 경쟁 구조에서 경쟁력을 강화하기 위한 이러한 전략들은 기업들이 변화하는 시장 환경에 능동적으로 대응하고, 글로벌 시장에서 지속 가능한 성장을 추구하는 데 필수적입니다. 기술의 혁신, 현지화 전략, 파트너십 구축, 그리고 지속 가능한 성장은 글로벌 콘텐츠 산업의 미래를 형성하는 핵심 요소로 작용할 것입니다.

문화적 다양성과 글로벌 콘텐츠

콘텐츠 산업의 글로벌 경쟁 구조에서 문화적 다양성과 글로벌 콘텐츠의 중요성은 점점 더 커지고 있습니다. 이러한 현상은 글로벌화가 진행되는 현대 사회에서 다양한 문화적 배경을 가진 콘텐츠가 전 세계 관객에게 어필하고 있는 상황을 반영합니다.

① 문화적 다양성의 중요성

글로벌 시장의 포용성: 다양한 문화적 배경을 반영하는 콘텐츠는 글로벌 시장에서 포용성을 증진시킵니다. 이는 다양한 문화적 가치와 관점을 존중하는 현대 사회의 트렌드와 부합합니다.

문화 간의 교류 촉진: 다양한 문화적 이야기와 경험을 담은 콘텐츠는 전 세계적으로 문화 간의 이해와 교류를 촉진합니다.

② 글로벌 콘텐츠의 확장

국제적인 콘텐츠 제작: 글로벌 콘텐츠 제작자들은 다양한 국가와 문화에서 영감을 받아 새로운 콘텐츠를 제작합니다. 이는 국제적인 관객에게 보다 넓은 선택권을 제공하며, 글로벌 시장에서의 경쟁력을 강화합니다.

현지화와 글로벌화의 균형: 글로벌 콘텐츠 제작에서는 현지 문화의 특성을 반영하는 동시에 국제적인 관점을 유지하는 것이 중요합니다. 이는 글로벌과 로컬의 균형을 맞추는 전략적 접근이 필요합니다.

③ 문화적 다양성의 경쟁력

차별화된 콘텐츠 제공: 다양한 문화적 배경을 가진 콘텐츠는 차별화된 경험을 제공합니다. 이는 글로벌 시장에서 새롭고 독특한 콘텐츠를 원하는 관객들에게 매력적입니다.

다문화적 접근의 강화: 콘텐츠 제작자들은 다문화적 접근을 통해 더 넓은 관객층에게 어필할 수 있으며, 이는 글로벌 경쟁력을 높이는 데 기여합니다.

④ 글로벌 콘텐츠 시장의 동향

글로벌 네트워크의 활용: 글로벌 콘텐츠 시장은 세계 각국의 네트워크를 활용하여 다양한 문화적 콘텐츠를 배포하고 홍보합니다.

국제 공동 제작의 증가: 다양한 국가의 콘텐츠 제작자들이 협력하여 국제 공동 제작을 진행함으로써, 글로벌 시장에서 더 큰 영향력을 발휘할 수 있습니다.

콘텐츠 산업의 글로벌 경쟁 구조에서 문화적 다양성과 글로벌 콘텐츠의 역할은 앞으로도 계속해서 중요해질 것입니다. 다양한 문화적 배경을 반영하는 콘텐츠는 글로벌 시장에서의 포용성과 경쟁력을 높이며, 새로운 관객층을 창출하고 다문화적 이해와 소통을 촉진하는 데 중요한 역할을 합니다.

디지털 플랫폼의 영향

콘텐츠 산업의 글로벌 경쟁 구조에서 디지털 플랫폼은 중대한 역할을 하고 있습니다. 이러한 플랫폼들은 콘텐츠의 제작, 배포 및 소비 방식에 혁신적인 변화를 가져오고 있으며, 산업 전반에 걸쳐 영향력을 행사하고 있습니다.

① 디지털 플랫폼의 성장과 영향

넓은 도달 범위: 디지털 플랫폼들은 글로벌 네트워크를 통해 대규모의 관객에게 도달할 수 있습니다. 예를 들어, 유튜브, 넷플릭스, 아마존 프라임 비디오 등은 전 세계적으로 수백만 명의 사용자를 보유하고 있습니다.

콘텐츠 유통의 중심: 이러한 플랫폼들은 콘텐츠 유통의 주요한 허브로 자리 잡으며, 콘텐츠 제작자들에게 접근 가능한 시장을 제공합니다.

② 콘텐츠 배포 및 소비의 변화

온디맨드 서비스의 증가: 디지털 플랫폼을 통해 제공되는 온디맨드 콘텐츠는 사용자가 언제 어디서나 원하는 콘텐츠를 접근하고 소비할 수 있도록 합니다.

개인화 및 맞춤화: 데이터 분석과 알고리즘을 활용하여 사용자에게 맞춤화된 콘텐츠를 추천함으로써 사용자 경험을 개선하고, 관심 있는 콘텐츠로의 접근을 용이하게 합니다.

③ 글로벌 경쟁에서의 디지털 플랫폼

경쟁력의 원천: 강력한 기술 인프라와 사용자 데이터는 디지털 플랫폼이 콘텐츠 산업에서 경쟁력을 갖는 주요 원천입니다.

시장 지배력: 대규모 사용자 기반과 광범위한 콘텐츠 라이브러리를 보유한 플랫폼들은 시장에서 지배적인 위치를 차지하고 있습니다.

④ 디지털 플랫폼과 콘텐츠 제작자의 관계

협력과 상생: 많은 콘텐츠 제작자들은 디지털 플랫폼과의 협력을 통해 콘텐츠를 배포하고, 이로 인해 더 넓은 관객에게 접근할 수 있습니다.

플랫폼 의존도 문제: 한편, 일부 콘텐츠 제작자들은 디지털 플랫폼에 과도하게 의존함으로써 발생할 수 있는 리스크에 직면하기도 합니다.

디지털 플랫폼의 영향은 콘텐츠 산업의 글로벌 경쟁 구조를 근본적으로 변화시키고 있습니다. 이러한 플랫폼들은 콘텐츠의 제작, 배포 및 소비에 혁신을 가져오고 있으며, 산업의 미래 발전 방향에 중대한 영향을 미칠 것으로 예상됩니다.

글로벌 콘텐츠 산업은 계속해서 성장하고 있으며, 이로 인해 국제적인 경쟁 구조도 더욱 복잡해지고 있습니다. 기술 혁신, 현지화 전략, 문화적 다양성의 존중, 그리고 디지털 플랫폼의 영향력은 글로벌 콘텐츠 산업의 주요한 동향으로 자리 잡고 있으며, 이러한 요소들은 앞으로도 콘텐츠 산업의 발전 방향과 전략을 형성하는 데 중요한 역할을 할 것입니다.

4. RE100과 콘텐츠산업의 상호작용

4-1. RE100 이니셔티브가 콘텐츠 산업에 미치는 영향

RE100 이니셔티브는 콘텐츠 산업에 상당한 영향을 미칠 것으로 예상됩니다. 이는 콘텐츠 산업의 에너지 사용 패턴과 지속 가능한 비즈니스 모델로의 전환에 중요한 변화를 가져오며, 이러한 변화는 산업 내부뿐만 아니라 외부의 소비자 인식에도 영향을 미칠 것입니다.

에너지 사용의 지속 가능성

RE100 이니셔티브는 콘텐츠 산업 내에서 에너지 사용의 지속 가능성을 크게 강화하는 데 중요한 역할을 합니다. 이는 콘텐츠 산업이 재생가능 에너지를 적극적으로 활용하고, 에너지 효율성을 높이는 방향으로 변화를 추진하는 것을 의미합니다. 이러한 변화의 중요한 측면들을 자세히 살펴보겠습니다.

① 재생가능 에너지로의 전환

100% 재생가능 에너지 목표: RE100은 회원사들이 사용하는 전력을 100% 재생가능 에너지로 전환하는 것을 목표로 합니다.

이는 콘텐츠 산업에서도 에너지 소비를 재생가능 에너지로 대체하는 방향으로 나아가야 함을 의미합니다.

에너지 소스 다변화: 태양광, 풍력, 수력 등 다양한 재생가능 에너지 소스를 활용하여 에너지 공급의 다변화를 추진합니다.

② 에너지 효율성의 증가

에너지 효율적인 기술 도입: 콘텐츠 제작 및 배포 과정에서 에너지 효율이 높은 기술과 장비를 도입하여 에너지 사용을 최적화합니다.

지속 가능한 작업 환경 구축: 제작 스튜디오, 사무실, 데이터 센터 등의 작업 환경을 에너지 효율적으로 설계하고 개선하는 작업을 진행합니다.

③ 지속 가능한 비즈니스 모델

에너지 관리 시스템 구축: 체계적인 에너지 관리 시스템을 구축하여 에너지 소비를 모니터링하고, 효율적으로 관리합니다.

환경적 책임의 강화: 에너지 사용의 지속 가능성을 높이는 것은 환경적 책임을 다하는 것이며, 이는 기업의 사회적 이미지와 브랜드 가치에 긍정적인 영향을 미칩니다.

④ 대외적인 파트너십과 협력

에너지 공급업체와의 협력: 재생가능 에너지 공급업체와 협력하여 지속 가능한 에너지 솔루션을 개발하고 적용합니다.

산업 간 협력 네트워크 구축: 다른 산업과의 협력을 통해 재생 가능 에너지 사용에 대한 베스트 프랙티스를 공유하고, 산업 전반에 걸쳐 지속 가능한 에너지 사용을 촉진합니다.

RE100 이니셔티브에 따른 콘텐츠 산업의 에너지 사용의 지속 가능성 강화는 단순히 환경적 측면뿐만 아니라 경제적 및 사회적 측면에서도 중요한 의미를 가집니다. 이러한 변화는 콘텐츠 산업이 미래 지향적이고 지속 가능한 방향으로 나아가는 데 기여하며, 산업의 장기적인 경쟁력과 지속 가능성을 높이는 데 중요한 역할을 할 것입니다.

지속 가능한 콘텐츠 제작

RE100 이니셔티브는 콘텐츠 산업의 제작 방식에 지속 가능성을 강조하는 중요한 변화를 가져오고 있습니다. 이러한 변화는 콘텐츠 제작의 각 단계에서 환경적 책임을 증진시키고, 장기적으로 산업의 지속 가능성을 높이는 데 기여합니다.

① 지속 가능한 제작 과정의 중요성

환경적 영향의 인식: 콘텐츠 제작 과정에서 발생하는 에너지 소비, 폐기물, 자원 사용 등이 환경에 미치는 영향에 대한 인식이 증가하고 있습니다.

지속 가능한 제작 방식 도입: 친환경적인 자재 사용, 에너지 효율적인 제작 방법, 폐기물 감소 전략 등 지속 가능한 제작 방식을 도입하는 것이 중요해지고 있습니다.

② 에너지 효율적인 제작 환경

재생가능 에너지 사용: 스튜디오, 사무실, 촬영 현장 등에서 재생가능 에너지의 사용을 증대시키며, 이는 전력 소비를 줄이고 환경적 영향을 감소시킵니다.

에너지 효율적인 장비와 기술: 에너지 효율이 높은 조명, 카메라, 사운드 장비 등을 사용하여 전체적인 에너지 소비를 줄입니다.

③ 지속 가능한 자재와 리소스 관리

친환경적인 자재 사용: 세트 제작, 소품 제작에 친환경적인 자재를 사용하고, 가능한 재활용 및 재사용 가능한 자재를 우선적으로 고려합니다.

폐기물 관리: 콘텐츠 제작 과정에서 발생하는 폐기물을 최소화하고, 재활용을 촉진하는 전략을 도입합니다.

④ 교육과 인식 제고

직원 및 파트너 교육: 콘텐츠 제작 과정에 참여하는 직원과 파트너들에게 지속 가능한 제작 방식에 대해 교육하고, 환경 보호에 대한 인식을 제고합니다.

환경 친화적인 문화 조성: 콘텐츠 산업 내에서 환경 친화적인 문화를 조성하고, 이를 통해 지속 가능한 제작 방식을 산업 표준으로 정착시킵니다.

⑤ 대외적인 커뮤니케이션 및 홍보

지속 가능성에 대한 홍보: 콘텐츠 산업에서 채택하는 지속 가능한 제작 방식을 대외적으로 홍보하며, 이를 통해 소비자와 시청자의 인식을 제고합니다.

브랜드 가치 증진: 지속 가능한 제작 방식은 콘텐츠 산업 기업들의 브랜드 가치와 이미지를 긍정적으로 강화하는 요소로 작용합니다.

RE100 이니셔티브에 따른 콘텐츠 산업의 지속 가능한 제작 방식은 환경적 측면뿐만 아니라, 사회적, 경제적 측면에서도 긍정적인 영향을 미칩니다. 이는 콘텐츠 산업이 더욱 책임감 있는 방식으로 발전하고, 장기적인 지속 가능성을 추구하는 데 중요한 기여를 할 것입니다.

산업 내부의 문화 변화

RE100 이니셔티브는 콘텐츠 산업 내부의 문화에 중대한 변화를 가져오고 있습니다. 이는 단순히 에너지 사용 방식의 변화를 넘어서, 산업 내부의 환경 의식, 지속 가능한 비즈니스 관행, 그리고 기업 문화 전반에 걸친 변화를 포함합니다. 이러한 변화의 측면들을 자세히 살펴보겠습니다.

① 환경에 대한 인식의 변화

지속 가능성에 대한 인식 증가: RE100 참여는 콘텐츠 산업 내에서 환경 보호와 지속 가능한 비즈니스 관행에 대한 인식을 증가시킵니다.

환경적 책임감의 강화: 기업과 직원들은 재생가능 에너지 사용과 지속 가능한 제작 방식을 통해 환경적 책임을 다하는 데 중요한 역할을 하게 됩니다.

② 지속 가능한 비즈니스 관행의 도입

지속 가능한 제작 관행: 제작 과정에서의 에너지 효율성, 재생가능 에너지 사용, 친환경 자재 사용 등 지속 가능한 비즈니스 관행이 콘텐츠 산업 내부에서 정착됩니다.

장기적인 비즈니스 전략: 지속 가능성은 단기적인 이익을 넘어서, 장기적인 비즈니스 전략과 기업의 사회적 책임의 일부로 간주됩니다.

③ 기업 문화와 교육의 변화

환경 친화적인 기업 문화 조성: 기업 문화 내에서 환경 보호와 지속 가능한 가치가 중요한 요소로 자리 잡게 됩니다.

직원 교육과 참여 증진: 직원들에게 지속 가능한 비즈니스 관행에 대한 교육을 제공하고, 환경 보호 활동에 적극적으로 참여하도록 장려합니다.

④ 산업 전반의 변화와 혁신

산업 표준의 변화: RE100과 같은 이니셔티브는 콘텐츠 산업의 표준을 환경적으로 지속 가능한 방향으로 이끕니다.

신기술과 혁신의 촉진: 지속 가능한 콘텐츠 제작을 위한 새로운 기술과 혁신적인 접근 방식이 개발되고 채택됩니다.

RE100 이니셔티브에 따른 콘텐츠 산업 내부의 문화 변화는 산업의 지속 가능한 발전을 위한 중요한 단계입니다. 이러한 변화는 환경적 책임을 다하는 동시에, 산업의 경쟁력을 유지하고 새로운 시장 기회를 창출하는 데 기여하게 됩니다. 지속 가능한 비즈니스 관행과 환경 친화적인 기업 문화는 콘텐츠 산업이 미래 지향적으로 발전하는 데 필수적인 요소로 자리매김할 것입니다.

대외적인 영향과 소비자 인식

RE100 이니셔티브는 콘텐츠 산업에 대한 대외적 영향과 소비자 인식에 중요한 변화를 가져오고 있습니다. 이러한 변화는 산업의 지속 가능한 발전뿐만 아니라, 소비자들의 인식과 구매 결정에도 영향을 미치고 있습니다.

① 브랜드 이미지와 인식의 개선

환경적 책임의 표현: RE100 참여는 기업이 환경에 대한 책임을 진지하게 고려하고 있음을 대외적으로 표현하는 방법입니다.

이는 기업의 브랜드 이미지와 인식을 긍정적으로 개선할 수 있습니다.

지속 가능한 브랜드 가치: 소비자들은 점점 더 환경에 민감하게 반응하며, 지속 가능한 브랜드를 선호하는 경향이 증가하고 있습니다. 따라서 RE100과 같은 이니셔티브에 참여하는 것은 기업의 브랜드 가치를 높이는 데 기여합니다.

② 소비자 인식과 구매 결정에 미치는 영향

환경 친화적인 소비자 선택: 소비자들은 지속 가능한 제품과 서비스에 대한 선호도가 높아지고 있으며, 이는 콘텐츠 소비에도 영향을 미칩니다. 환경 친화적인 콘텐츠 제작에 대한 인식이 증가하면, 소비자들의 구매 결정에 긍정적인 영향을 줄 수 있습니다.

공공의식과 사회적 영향: 소비자들은 기업의 사회적 책임과 공공의식에 대해 더욱 관심을 가지고 있으며, 이는 기업이 채택하는 환경 관련 정책과 활동에 대한 지지로 이어질 수 있습니다.

③ 대중 커뮤니케이션 및 마케팅 전략

지속 가능성을 중심으로 한 커뮤니케이션: 콘텐츠 산업은 RE100 참여 및 관련 활동을 마케팅 및 커뮤니케이션 전략의 핵심 요소로 활용할 수 있습니다.

소비자와의 소통 강화: 지속 가능한 콘텐츠 제작에 대한 정보를 적극적으로 공유하고, 소비자들과의 소통을 강화함으로써 기업의 투명성과 신뢰성을 높일 수 있습니다.

④ 사회적 책임과 지속 가능한 미래

사회적 책임의 실천: RE100 참여는 기업이 사회적 책임을 실천하고 있다는 것을 대외적으로 보여주는 방법입니다.

지속 가능한 미래를 향한 기여: 콘텐츠 산업의 지속 가능한 발전은 사회 전체의 지속 가능한 미래를 향한 기여로 간주됩니다.

RE100 이니셔티브는 콘텐츠 산업에 대한 대외적 영향과 소비자 인식에 긍정적인 변화를 가져오며, 이는 산업의 지속 가능한 발전과 더불어 사회 전체의 환경적 책임감을 증진시키는 데 중요한 역할을 합니다. 이러한 변화는 산업 내부뿐만 아니라, 소비자들의 인식과 태도, 그리고 더 넓은 사회적 관행에도 영향을 미치게 됩니다.

4-2. 콘텐츠산업 내에서의 지속 가능한 실천 사례

콘텐츠 산업은 지속 가능성을 향상시키기 위해 다양한 실천을 도입하고 있습니다. 이러한 실천들은 환경 보호, 에너지 효율성 증가, 자원의 지속 가능한 사용 등을 목표로 하며, 산업 전반에 걸쳐 확산되고 있습니다.

에너지 효율성 및 재생가능 에너지 사용

콘텐츠 산업에서 지속 가능한 실천의 중요한 부분은 에너지 효율성을 높이고 재생가능 에너지를 적극적으로 사용하는 것입니다. 이러한 접근 방식은 환경 보호뿐만 아니라 경제적 효율성을 증진시키는 데에도 기여합니다.

에너지 효율성 향상

에너지 효율적인 기술의 도입: 조명, 카메라, 컴퓨터 시스템 등 제작 및 방송 장비를 최신 에너지 효율적인 모델로 교체하여 전체적인 에너지 소비를 줄입니다. LED 조명 사용은 전통적인 조명 방식에 비해 에너지 소비를 크게 감소시킵니다.

스마트 빌딩 관리 시스템: 사무실, 스튜디오, 데이터 센터 등에서 스마트 빌딩 관리 시스템을 도입하여 에너지 사용을 효율적으로 관리하고, 냉난방 시스템의 최적화를 통해 에너지를 절약합니다.

① 재생가능 에너지 사용

태양광 및 풍력 에너지: 스튜디오 건물이나 사무실의 지붕에 태양광 패널을 설치하거나, 풍력 에너지를 활용하여 재생가능 에너지원을 활용합니다. 이는 전체 에너지 사용량 중 재생가능 에너지의 비율을 높이는 데 기여합니다.

재생가능 에너지 구매 계약: 재생가능 에너지를 직접 생산할 수 없는 경우, 재생가능 에너지 공급업체와의 계약을 통해 필요한 에너지를 확보합니다. 이는 RE100 이니셔티브와 같은 목표 달성에 기여합니다.

② 에너지 사용 최적화

에너지 감사 및 모니터링: 정기적인 에너지 감사를 실시하여 에너지 사용 패턴을 분석하고, 비효율적인 사용을 줄입니다. 에너지 모니터링 시스템을 통해 실시간으로 에너지 사용량을 추적하고 관리합니다.

직원 교육 및 참여: 에너지 절약에 대한 직원 교육을 실시하여 에너지 효율성에 대한 인식을 제고하고, 직원들의 적극적인 참여를 장려합니다.

③ 장기적인 전략 및 정책

지속 가능한 에너지 정책 수립: 장기적인 관점에서 지속 가능한 에너지 사용 정책을 수립하고, 이를 기업 운영의 핵심 요소로 삼습니다.

지속 가능한 인프라 구축: 새로운 시설을 건설하거나 기존 시설을 개조할 때 지속 가능한 설계를 채택하여 에너지 효율을 극대화합니다.

콘텐츠 산업에서의 에너지 효율성 증대와 재생가능 에너지 사용 확대는 환경적 지속 가능성을 위한 중요한 단계입니다. 이러한 실천은 산업의 장기적인 경쟁력을 강화하고, 환경적 책임을 다하는 동시에 경제적 이익을 창출하는 데 기여합니다. 지속 가능한 에너지 관리는 산업의 미래 지향적인 발전을 위한 필수적인 전략으로 자리매김하고 있습니다.

친환경 제작 과정

콘텐츠 산업에서 지속 가능한 실천의 핵심 부분 중 하나는 친환경 제작 과정의 도입입니다. 이러한 접근은 환경에 미치는 영향을 줄이면서도 효과적인 제작 과정을 유지하는 것을 목표로 합니다.

① 친환경 자재의 사용

재활용 및 재생 가능한 자재: 세트 제작, 소품, 의상 등에 사용되는 자재들은 재활용 가능하거나 지속 가능한 자원에서 추출된 것들을 우선적으로 사용합니다.

지속 가능한 재료 선택: 제작 과정에서 환경에 미치는 영향이 낮은 재료를 선택합니다. 예를 들어, VOC(휘발성 유기 화합물)가 낮은 페인트, FSC 인증 목재 등이 있습니다.

② 에너지 효율적인 제작 환경

에너지 절약형 조명 시스템: 전통적인 조명 대신 LED 조명과 같은 에너지 효율적인 조명을 사용하여 에너지 소비를 줄입니다.

에너지 관리 시스템: 스튜디오 및 사무실에서 스마트 에너지 관리 시스템을 도입하여 에너지 사용을 최적화합니다.

③ 폐기물 관리 및 감소

폐기물 최소화 전략: 제작 과정에서 발생하는 폐기물의 양을 최소화하는 전략을 수립하고 실행합니다.

재활용 프로그램의 실행: 세트 제작 후 발생하는 재료들을 재활용하고, 가능한 한 많은 소품과 장비를 재사용합니다.

④ 지속 가능한 물류 및 운송

친환경 운송 수단: 촬영 장비와 자재의 운송에 친환경 운송 수단을 사용합니다. 예를 들어, 전기차 또는 하이브리드 차량의 사용을 장려합니다.

물류 최적화: 운송과 물류 과정에서의 탄소 배출을 줄이기 위해 효율적인 물류 계획을 수립합니다.

⑤ 교육 및 인식 제고

환경 교육 프로그램: 제작 관련 직원들에게 친환경 제작 방법과 중요성에 대한 교육을 제공합니다.

환경 보호 인식 캠페인: 직원들 사이에서 환경 보호에 대한 인식을 제고하기 위한 내부 캠페인을 실시합니다.

⑥ 지역사회와의 협력

지역사회와의 협력: 촬영 장소가 위치한 지역사회와 협력하여 지역 환경 보호 활동에 참여합니다.

지역 자원의 활용: 가능한 경우 지역 자원을 활용하여 지역 경제에 기여하고, 지역사회와의 상생을 도모합니다.

콘텐츠 산업에서 친환경 제작 과정의 도입은 환경 보호뿐만 아니라 산업의 장기적인 지속 가능성에 중요한 기여를 하고 있습니다. 이러한 실천들은 산업 내부에서의 환경 인식을 제고하고, 외부에서의 기업 이미지 및 브랜드 가치를 강화하는 데에도 도움이 됩니다. 지속 가능한 제작 방식은 콘텐츠 산업의 미래 지향적 발전을 위한 필수적인 요소로 자리 잡고 있습니다.

교통 및 물류의 지속 가능성

콘텐츠 산업 내에서 교통 및 물류 부문의 지속 가능한 실천은 중요한 환경적 영향을 미치는 분야입니다. 이 분야에서의 지속 가능성 향상은 탄소 배출 감소, 에너지 효율성 증대, 그리고 전반적인 환경 보호에 기여합니다.

① 친환경 운송 수단의 채택

전기차 및 하이브리드 차량 사용: 촬영 장비와 자재의 운송에 전기차나 하이브리드 차량을 사용하여 화석 연료 사용을 줄이고, 탄소 배출을 감소시킵니다.

대중교통 및 공유 교통 수단의 활용: 제작진과 스태프가 촬영장으로 이동할 때 대중교통 이용을 장려하거나, 공유 교통 수단을 활용합니다.

② 물류 최적화 및 효율성 향상

효율적인 물류 계획: 장비와 자재의 운송을 위한 물류 계획을 세워 배송 횟수를 최소화하고, 경로를 최적화하여 배출가스를 줄입니다.

로컬 리소스 활용: 가능한 한 현지 또는 국내 리소스를 활용하여 장거리 운송에 따른 환경 영향을 최소화합니다.

③ 지속 가능한 포장재 사용

재활용 가능한 포장재: 촬영 장비와 자재의 포장에 재활용이 가능하거나 생분해성이 높은 재료를 사용합니다.

포장 최소화 전략: 필요 최소한의 포장만 사용하여 폐기물을 감소시키고, 재활용이 용이하도록 합니다.

④ 친환경 물류 파트너십

친환경 물류 업체와의 협력: 환경적으로 책임 있는 물류 업체와 협력하여 전체 공급망에서의 탄소 배출을 감소시킵니다.

지속 가능한 물류 네트워크 구축: 콘텐츠 산업 내 다른 회사들과 협력하여 공유 물류 네트워크를 구축하고, 자원을 효율적으로 사용합니다.

콘텐츠 산업에서의 이러한 지속 가능한 교통 및 물류 실천은 환경적 영향을 줄이는 동시에, 경제적 효율성을 증진시키는 중요한 방법입니다. 이러한 접근은 산업의 장기적인 지속 가능성을 높이고, 환경에 대한 긍정적인 영향을 미치는 데 기여합니다.

교육 및 인식 제고

콘텐츠 산업 내에서 지속 가능한 실천의 중요한 부분은 교육 및 인식 제고입니다. 이는 산업 내외부의 환경적 책임감을 강화하고, 지속 가능한 발전을 위한 기반을 마련하는 데 중요한 역할을 합니다.

① 직원 교육 및 참여 촉진

환경 교육 프로그램: 콘텐츠 산업 관련 직원들을 대상으로 지속 가능성에 관한 교육 프로그램을 실시합니다. 이러한 교육은 에너지 효율, 재생가능 에너지 사용, 지속 가능한 물자 사용 방

법 등을 포함할 수 있습니다.

참여 촉진: 직원들이 지속 가능한 실천에 직접 참여하도록 장려하고, 이를 통해 개인 및 조직 차원에서 환경 보호에 기여할 수 있는 방법을 제시합니다.

② 인식 제고 캠페인

대내외 인식 제고 캠페인: 콘텐츠 산업 내외부에서 환경 보호 및 지속 가능한 실천에 대한 인식을 제고하기 위한 캠페인을 운영합니다. 이러한 캠페인은 소셜 미디어, 내부 커뮤니케이션 채널, 공공 이벤트 등을 통해 진행될 수 있습니다.

교육 자료의 개발 및 배포: 지속 가능한 실천에 관한 교육 자료를 개발하고, 직원들에게 이를 배포하여 쉽게 접근하고 학습할 수 있도록 합니다.

③ 사회적 책임과 공익 캠페인

사회적 책임 프로그램: 콘텐츠 산업 기업들은 사회적 책임 프로그램을 통해 환경 보호, 지속 가능한 발전 등의 주제에 대한 공공 인식을 제고합니다.

공익 캠페인 참여: 환경 보호, 지속 가능한 발전 등에 관한 공익 캠페인에 참여하거나 후원함으로써 사회적 메시지를 전달하고, 이러한 가치에 대한 대중의 인식을 높입니다.

④ 파트너십 및 협력을 통한 교육 확산

산업 간 협력: 다른 산업과의 파트너십을 통해 지속 가능한 실천에 대한 교육과 인식 제고를 확산합니다.

교육 기관과의 협력: 대학, 연구 기관, 비영리 단체 등과 협력하여 지속 가능성에 관한 교육 프로그램을 개발하고, 이를 산업 내외부에 전파합니다.

콘텐츠 산업에서의 이러한 교육 및 인식 제고 실천은 환경적 지속 가능성을 향상시키는 데 필수적인 요소입니다. 이러한 노력은 산업 내외부에서 지속 가능한 발전에 대한 이해와 참여를 촉진하며, 장기적으로 산업과 사회 전체의 지속 가능한 미래를 위한 기반을 마련하는 데 기여합니다.

사회적 책임과 지역사회 참여

콘텐츠 산업의 지속 가능한 실천에는 사회적 책임과 지역사회 참여가 핵심 요소로 자리 잡고 있습니다. 이러한 실천들은 산업이 단순한 이윤 추구를 넘어서 사회적, 환경적 가치를 창출하는 데 기여합니다.

① 사회적 책임 실천

환경 보호 캠페인 참여: 콘텐츠 산업은 환경 보호와 관련된 다양한 캠페인에 참여하거나, 이를 후원하여 환경적 지속 가능성에 기여합니다.

공익적 콘텐츠 제작: 사회적, 환경적 문제에 대한 인식을 높이기 위한 다큐멘터리, 교육 프로그램, 공익 광고 등을 제작하여 대중에게 중요한 메시지를 전달합니다.

② 지역사회 참여 및 지원

지역사회와의 협력 프로젝트: 촬영 장소가 위치한 지역사회와 협력하여 교육, 환경 보호, 문화 행사 등의 프로젝트를 진행합니다.

지역 경제 지원: 촬영 과정에서 지역의 비즈니스와 협력하고, 지역 인력을 채용함으로써 지역 경제에 기여합니다.

③ 교육 및 인재 양성

교육 프로그램 및 인턴십 제공: 콘텐츠 제작과 관련된 교육 프로그램을 개발하고, 젊은 인재에게 인턴십 기회를 제공하여 업계 내 신입 인재 양성에 힘씁니다.

지역 학교와의 협력: 지역 학교와 협력하여 학생들에게 실제 콘텐츠 제작 경험을 제공하고, 산업에 대한 이해와 관심을 증진시킵니다.

④ 지속 가능한 이벤트 및 행사 개최

친환경 이벤트 개최: 영화제, 콘서트, 워크숍 등을 친환경적으로 개최하여 지속 가능한 문화를 확산시킵니다.

공공의식 향상 행사: 지역사회 내에서 공공의식과 지속 가능성에 대한 행사를 개최하거나 후원하여 대중의 인식을 제고합니다.

⑤ 지속 가능한 파트너십 구축

비영리 단체와의 협력: 환경 보호, 교육, 사회 복지 등을 목적으로 하는 비영리 단체와 협력하여 사회적 가치를 창출합니다.

산업 간 협력 네트워크: 다른 산업과의 협력을 통해 지속 가능한 발전을 위한 아이디어와 자원을 공유하고, 상호 간의 지속 가능성을 증진시킵니다.

콘텐츠 산업에서의 이러한 사회적 책임과 지역사회 참여 실천은 산업의 긍정적인 사회적 영향을 증대시키고, 환경적 지속 가능성을 높이는 데 중요한 역할을 합니다. 이러한 노력은 산업이 단순한 이윤 추구를 넘어서 사회적 책임을 다하고, 지역사회와 상생하는 길을 모색하는 데 기여합니다.

디지털 기술의 활용

콘텐츠 산업에서 지속 가능성을 추구하는 데 있어 디지털 기술의 활용은 매우 중요한 역할을 합니다. 이러한 기술들은 제작 과정을 더 효율적이고 환경 친화적으로 만들며, 새로운 형태의 콘텐츠 제작과 배포 방식을 가능하게 합니다.

클라우드 기반 작업 및 데이터 관리

클라우드 스토리지: 콘텐츠 파일과 제작 관련 데이터를 클라우드에 저장함으로써 물리적 서버의 필요성을 줄이고, 에너지 소비를 감소시킵니다.

원격 작업 환경: 클라우드 기술을 활용하여 제작진이 원격으로 협업하고 작업할 수 있는 환경을 제공함으로써, 출퇴근에 따른 교통량과 탄소 배출을 감소시킵니다.

② 디지털 제작 및 후반 작업

디지털 편집 및 후반 처리: 컴퓨터 기반의 디지털 편집 도구를 사용하여 콘텐츠의 편집 및 후반 작업을 수행함으로써 자원 사용을 최소화합니다.

가상 제작 기술: 가상현실(VR) 및 증강현실(AR) 기술을 활용하여 현실과 유사한 가상 세트를 구현하고, 물리적 세트 제작에 필요한 자원과 에너지 소비를 줄입니다.

③ 디지털 마케팅 및 배포

온라인 마케팅: 소셜 미디어, 이메일, 웹사이트 등을 활용한 디지털 마케팅을 통해 종이 기반의 광고 자료 사용을 줄입니다.

스트리밍 서비스: 콘텐츠를 디지털 스트리밍 플랫폼을 통해 배포함으로써 물리적 매체의 생산 및 배송에 필요한 에너지와 자원 사용을 감소시킵니다.

④ 지속 가능한 데이터 센터 운영

에너지 효율적인 데이터 센터: 데이터 센터의 에너지 효율을 높이고, 냉각 시스템 등의 에너지 사용을 최적화하여 전체적인 탄소 발자국을 줄입니다.

재생가능 에너지 사용: 데이터 센터의 운영에 재생가능 에너지를 활용함으로써 환경적 영향을 최소화합니다.

⑤ 디지털 기술 교육 및 인식 제고

직원 대상 디지털 기술 교육: 콘텐츠 산업 내 직원들을 대상으로 디지털 기술 교육을 실시하여 이들의 기술적 역량을 향상시킵니다.

지속 가능한 디지털 실천의 인식 제고: 디지털 기술이 환경 보호에 기여할 수 있는 방법에 대한 인식을 제고하고, 이를 업계 내부 및 외부에서 홍보합니다.

콘텐츠 산업에서의 디지털 기술 활용은 제작, 저장, 마케팅, 배포 과정에서의 에너지 효율성을 높이고 환경적 영향을 줄이는 데 크게 기여합니다. 또한, 이러한 기술들은 새로운 형태의 콘텐츠 제작과 창의적인 방법으로의 접근을 가능하게 함으로써 산업의 혁신을 촉진합니다. 디지털 기술의 적극적인 채택과 활용은 콘텐츠 산업의 지속 가능한 발전을 위한 필수적인 전략으로 자리매김하고 있습니다.

지속 가능한 마케팅 전략

콘텐츠 산업에서 지속 가능한 마케팅 전략은 환경적, 사회적 책임을 고려하며 브랜드 가치와 소비자 인식을 긍정적으로 발전시키는 중요한 요소입니다. 이러한 전략은 소비자의 관심을 끌고, 지속 가능한 소비를 장려하며, 산업의 지속 가능성을 강화합니다.

① 디지털 마케팅의 활용

온라인 마케팅 캠페인: 소셜 미디어, 이메일 마케팅, 검색 엔진 최적화(SEO), 콘텐츠 마케팅 등을 통해 대중과 소통합니다. 이러한 디지털 마케팅은 종이 기반의 전통적 마케팅에 비해 환경적 영향이 적습니다.

대화형 및 참여형 콘텐츠: 사용자 참여를 유도하는 인터랙티브 콘텐츠를 활용하여 관객과의 상호작용을 증진시킵니다.

친환경 메시지와 브랜딩

지속 가능성 강조: 제품이나 서비스의 마케팅에서 그 친환경적인 측면을 강조하여 소비자들의 환경 보호 의식을 자극 합니다.

친환경 브랜딩: 브랜드의 친환경적 가치와 지속 가능한 실천을 강조하는 메시지를 전달하여 브랜드 이미지를 강화합니다.

③ 사회적 책임 활동과 연계

공익 캠페인 참여: 환경 보호, 사회적 책임, 교육 지원 등에 관한 공익 캠페인에 참여하거나 후원하여 브랜드의 사회적 책임을 강조합니다.

지역사회 참여 프로그램: 지역사회와의 협력을 통해 진행하는 사회적 활동을 마케팅 캠페인에 통합하여, 브랜드의 사회적 가치를 부각시킵니다.

④ 친환경 패키징과 프로모션

지속 가능한 패키징: 제품 포장에 재활용 가능하거나 생분해성이 높은 재료를 사용하고, 과도한 포장을 피합니다.

친환경 프로모션 아이템: 홍보용 상품에 친환경적인 재료를 사용하고, 지속 가능한 소비를 장려하는 메시지를 전달합니다.

⑤ 소비자 인식 제고 및 참여 유도

교육적 마케팅: 소비자에게 지속 가능한 생활 방식과 소비 선택의 중요성에 대해 교육하고, 이를 적극적으로 알립니다.

소비자 참여 프로그램: 지속 가능한 실천에 대한 소비자 참여를 유도하는 프로그램을 마련하여, 브랜드 충성도를 높이고 지속 가능한 가치를 전파합니다.

콘텐츠 산업에서의 지속 가능한 마케팅 전략은 환경적 영향을 줄이는 동시에 브랜드의 긍정적인 이미지를 증진시키고, 소비자들에게 지속 가능한 소비를 장려합니다. 이러한 전략은 산업의 경쟁력을 강화하고, 사회적 책임을 다하는 동시에 지속 가능한 발전을 추구하는 데 기여합니다.

콘텐츠의 사회적 책임

콘텐츠 산업에서의 사회적 책임은 다양한 방식으로 구현됩니다. 이는 산업의 영향력을 활용하여 긍정적인 사회 변화를 촉진하고, 환경 보호, 교육, 문화 다양성 증진 등 다양한 사회적 가치를 창출하는 데 중점을 둡니다.

① 공익적 콘텐츠의 제작 및 배포

사회적 이슈 다루기: 환경 변화, 사회적 불평등, 교육 문제 등과 같은 중요한 사회적 이슈를 다루는 다큐멘터리, 드라마, 영화를 제작하여 대중의 인식을 제고합니다.

교육적 콘텐츠 개발: 교육적 가치가 있는 프로그램, 어린이와 청소년을 위한 교육 콘텐츠 등을 제작하여 학습 기회를 제공하고, 지식의 전달에 기여합니다.

② 사회적 책임 캠페인 및 활동

공익 캠페인 참여: 환경 보호, 건강 증진, 인권 증진 등의 공익 캠페인에 참여하거나 이를 지원하여 사회적 가치를 증진시킵니다.

지역사회 참여 프로그램: 촬영 지역사회에 대한 지원 활동을 통해 지역 경제를 지원하고, 지역사회 발전에 기여합니다.

③ 지속 가능한 미디어 및 엔터테인먼트

친환경 콘텐츠 제작: 에너지 효율이 높은 방식으로 콘텐츠를 제작하고, 제작 과정에서 발생하는 탄소 배출을 최소화합니다.

지속 가능한 이벤트 개최: 영화제, 콘서트, 전시회 등을 친환경적으로 개최하여 환경 보호 인식을 제고하고, 지속 가능한 문화를 확산합니다.

④ 다양성과 포용성의 증진

문화적 다양성 반영: 다양한 문화적 배경을 가진 인물과 이야기를 콘텐츠에 포함시켜 문화적 다양성과 포용성을 증진시킵니다.

다양성 및 포용성 정책 실천: 콘텐츠 제작 및 배포 과정에서 다양성과 포용성을 증진하는 정책을 실천하고, 이를 업계 표준으로 삼습니다.

콘텐츠 산업에서의 사회적 책임 실천은 단순히 경제적 이익을 넘어서 사회 전체에 긍정적인 영향을 미치는 데 중점을 둡니다. 이러한 실천은 산업의 사회적 책임을 강화하고, 다양한 사회적 가치를 창출하며, 지속 가능한 발전에 기여합니다. 이를 통해 콘텐츠 산업은 사회적으로 책임 있는 방식으로 성장하고 발전할 수 있습니다.

지역사회와의 상생

콘텐츠 산업이 지역사회와의 공존을 위해 실천하는 다양한 방법은 지역 경제와 문화의 발전을 촉진하고, 지속 가능한 관계를 구축하는 데 중요한 역할을 합니다. 이러한 실천은 지역사회에 긍정적인 영향을 미치며, 산업의 사회적 책임을 강화합니다.

① 지역 경제 지원

지역 비즈니스와의 협력: 촬영 장비, 의상, 소품 등을 지역의 업체로부터 구매하거나, 지역 서비스를 이용함으로써 지역 경제에 기여합니다.

지역 인력 채용: 촬영과 제작에 지역 인력을 채용하여 지역사회의 고용 창출에 기여하고, 지역 경제를 활성화합니다.

② 지역사회 참여 및 발전 기여

지역사회 행사 및 프로젝트 참여: 지역사회 행사, 문화 페스티벌, 교육 프로그램 등에 참여하거나 이를 후원하여 지역사회의 문화적, 사회적 발전에 기여합니다.

지역사회 기반 시설 지원: 지역사회의 기반 시설 개선, 공공 공간 조성 등에 기여하여 지역사회의 삶의 질을 향상시킵니다.

③ 지역 문화와 예술 지원

지역 문화 콘텐츠 제작: 지역의 문화, 역사, 예술 등을 주제로 한 콘텐츠를 제작하여 지역의 문화적 가치를 알리고 보존합니다.

지역 예술가와의 협업: 지역 예술가들과 협업하여 그들의 작품을 콘텐츠에 통합하거나, 예술 활동을 지원합니다.

④ 지역사회와의 상생 전략

지역사회와의 지속적인 대화: 촬영이나 제작 활동이 지역사회에 미치는 영향에 대해 지속적으로 소통하고, 지역사회의 의견을 반영합니다.

지역사회 발전을 위한 장기적 계획: 지역사회의 장기적인 발전을 위해 전략적인 계획을 수립하고, 이를 적극적으로 실행합니다.

⑤ 환경 보호 및 지속 가능성

지역 환경 보호 활동: 지역 환경 보호 프로젝트에 참여하거나 이를 후원하여 지역의 환경을 보호하고 지속 가능한 발전을 추구합니다.

지역사회와의 환경 교육 협력: 환경 보호에 대한 교육 프로그램을 지역사회와 함께 개발하고, 이를 통해 지역 주민들의 환경 의식을 높입니다.

콘텐츠 산업의 지역사회와의 공존 실천은 산업의 지속 가능한 발전과 지역사회의 복지 향상에 기여합니다. 이러한 실천은 지역 경제의 활성화, 문화적 다양성의 증진, 환경 보호 등 다양한 측면에서 긍정적인 영향을 미치며, 산업과 지역사회 간의 상생 관계를 구축하는 데 중요한 역할을 합니다.

콘텐츠 산업에서의 이러한 지속 가능한 실천들은 산업의 환경적 영향을 줄이고, 장기적인 지속 가능성을 높이는 데 기여합니다. 또한, 이러한 실천들은 산업의 사회적 책임과 이미지를 강화하고, 환경 보호와 지속 가능한 발전에 대한 대중의 인식을 제고하는 중요한 역할을 합니다.

4-3. RE100에 참여하는 콘텐츠 기업들의 사례

RE100 이니셔티브에 참여하는 콘텐츠 회사들은 지속 가능한 비즈니스 모델을 추구하며, 이를 통해 산업 내에서 환경적 책임을 강조하고 있습니다. 이러한 회사들의 사례는 콘텐츠 산업의 지속 가능성을 향상시키는 데 중요한 역할을 합니다.

재생가능 에너지로의 전환

RE100 이니셔티브와 콘텐츠 산업의 상호작용에서 주목할 점은 재생가능 에너지로 전환한 콘텐츠 회사들의 구체적인 사례입니다. 이러한 회사들은 에너지 사용에서의 지속 가능성을 높이는 방향으로 중대한 전환을 이루었으며, 이는 산업 전반에 걸쳐 지속 가능한 발전을 촉진하는 데 중요한 역할을 하고 있습니다.

① 재생가능 에너지 사용 전략

직접적인 재생가능 에너지 사용: 일부 콘텐츠 회사들은 자사의 시설에서 직접적으로 태양광 패널을 설치하거나, 풍력 발전을 통해 재생가능 에너지를 생산하고 사용합니다. 이는 특히 대규모 스튜디오나 제작 시설에서 효과적입니다.

재생가능 에너지 구매: 직접 생산이 어려운 경우, 재생가능 에너지를 전문적으로 공급하는 업체로부터 에너지를 구매합니다. 이를 통해 회사 전체의 에너지 사용량 중 재생가능 에너지의 비율을 증가시킵니다.

② 시설 및 운영의 에너지 효율 개선

에너지 효율적인 설계: 새롭게 건설되는 스튜디오나 사무실은 에너지 효율을 고려한 설계를 적용하여 재생가능 에너지 사용을 극대화합니다. 이는 빌딩의 난방, 냉방, 조명 등에서 에너지 소비를 줄이는 데 기여합니다.

에너지 관리 시스템 도입: 최신 에너지 관리 시스템을 도입하여 에너지 사용을 모니터링하고, 필요한 곳에 효율적으로 에너지를 배분합니다.

③ 지속 가능한 제작 과정

친환경 제작 실천: 재생가능 에너지를 사용하는 것 외에도, 제작 과정에서 환경에 미치는 영향을 줄이는 다양한 실천을 합니다. 이는 재활용 가능한 재료의 사용, 디지털 기술을 통한 종이 사용 감소 등을 포함합니다.

지속 가능한 조명 및 기술 사용: 제작 현장에서 에너지 효율이 높은 LED 조명과 같은 친환경 기술을 도입합니다.

④ 사회적 책임 및 대외 커뮤니케이션

사회적 책임 강조: 재생가능 에너지로 전환하는 것은 회사의 사회적 책임을 다하는 행위로 간주되며, 이를 통해 소비자와 이해관계자들에게 긍정적인 메시지를 전달합니다.

지속 가능한 브랜드 이미지 구축: RE100 참여 및 재생가능 에너지 사용을 대외적으로 홍보함으로써, 회사의 지속 가능한 브랜드 이미지를 구축하고 강화합니다.

RE100에 참여하고 재생가능 에너지로 전환한 콘텐츠 회사들의 사례는 콘텐츠 산업 내에서 환경적 지속 가능성을 추구하는 다른 기업들에게 모범을 제시합니다. 이러한 전환은 단순히 환경적 측면뿐만 아니라, 사회적 책임과 브랜드 가치에도 긍정적인 영향을 미치며, 산업 전반의 지속 가능한 발전을 촉진하는 데 중요한 역할을 합니다.

지속 가능한 제작 및 운영

RE100에 참여하는 콘텐츠 회사들은 지속 가능한 제작 및 운영 방식을 도입함으로써, 환경 보호와 에너지 효율성을 높이는 데 중점을 두고 있습니다. 이러한 회사들의 사례는 콘텐츠 산업이 지속 가능한 발전을 추구하는 방향을 제시합니다.

① 친환경 제작 과정

에너지 효율적인 조명과 장비: 촬영 및 제작에 사용되는 조명과 기술 장비를 에너지 효율이 높은 모델로 교체하여 전력 소비를 줄입니다. 특히 LED 조명의 사용은 에너지 소비와 열 발생을 크게 감소시킵니다.

지속 가능한 세트 및 소품: 세트 제작과 소품 제작에 재활용 가능하거나 친환경적인 자재를 사용합니다. 가능한 한 자재의 재사용과 재활용을 촉진하며, 제작 후 폐기물을 최소화합니다.

② 지속 가능한 스튜디오 및 사무실 운영

친환경 건축 및 설계: 스튜디오와 사무실 건물을 에너지 효율적인 방식으로 설계 및 개조합니다. 자연 채광을 최대한 활용하고, 녹색 건축 자재를 사용하는 등의 방법을 적용합니다.

재생가능 에너지 기반의 운영: 스튜디오와 사무실의 운영에 재생가능 에너지를 활용하며, 에너지 관리 시스템을 통해 에너지 사용을 최적화합니다.

③ 지속 가능한 물류 및 운송

친환경 운송 수단: 제작 장비와 자재의 운송에 친환경 차량을 사용합니다. 이는 전기차, 하이브리드 차량, 또는 대중교통 수단의 활용을 포함할 수 있습니다

물류 최적화: 제작 과정에서 필요한 자재의 운송과 물류를 최적화하여 탄소 배출을 감소시키고, 효율성을 높입니다.

④ 대외적 커뮤니케이션 및 인식 제고

지속 가능성에 대한 대외 커뮤니케이션: 회사의 지속 가능한 제작 및 운영 방식에 대해 대외적으로 홍보하고, 이를 통해 브랜드의 지속 가능한 이미지를 강화합니다.

교육 및 인식 제고 프로그램: 직원 및 파트너에게 지속 가능한 제작과 운영에 대한 교육을 제공하고, 환경 보호에 대한 인식을 높입니다.

RE100에 참여하는 콘텐츠 회사들의 지속 가능한 제작 및 운영 사례는 콘텐츠 산업의 환경적 영향을 줄이고, 장기적인 지속 가능성을 추구하는 데 중요한 역할을 합니다. 이러한 실천은 환경적 책임을 다하는 동시에 산업의 혁신과 경쟁력을 강화하는 데 기여하며, 산업 전반에 걸쳐 지속 가능한 발전을 위한 모범 사례로 작용합니다.

지속 가능한 비즈니스 전략 및 커뮤니케이션

RE100에 참여하는 콘텐츠 산업 회사들은 지속 가능한 비즈니스 전략과 효과적인 커뮤니케이션을 통해 산업의 지속 가능성을 추구하고 있습니다. 이러한 회사들은 재생가능 에너지 사용, 친환경 제작 방식, 그리고 지속 가능한 비즈니스 모델을 적극적으로 도입하고 있습니다.

① 지속 가능한 비즈니스 전략

장기적인 재생가능 에너지 사용 목표 설정: 콘텐츠 제작 및 운영 전반에 걸쳐 재생가능 에너지 사용을 목표로 설정하고, 이를 달성하기 위한 구체적인 계획을 수립합니다.

친환경 제작 및 운영 모델 도입: 에너지 효율적인 제작 방법, 재활용 가능한 자재 사용, 물류 및 운송의 최적화 등을 통해 전체적인 환경 영향을 줄이는 모델을 개발하고 실행합니다.

② 효과적인 대외 커뮤니케이션

지속 가능한 브랜드 이미지 구축: 재생가능 에너지 사용 및 지속 가능한 실천을 적극적으로 홍보하여 기업의 브랜드 가치와 이미지를 강화합니다.

대중과의 소통 강화: 소셜 미디어, 웹사이트, 언론 발표를 통해 회사의 지속 가능한 노력과 성과를 대중에게 알리고 인식을 제고합니다.

③ 지속 가능한 파트너십 및 협력

산업 간 협력: 다른 산업과의 협력을 통해 지속 가능한 실천을 확대하고, 이를 통해 새로운 비즈니스 기회를 탐색합니다.

지역사회와의 협력: 지역사회와의 협력을 통해 지역 경제 및 사회적 발전에 기여하며, 이를 통해 사회적 책임을 다합니다.

④ 교육 및 인식 제고 활동

직원 교육 프로그램: 직원들에게 지속 가능한 비즈니스 관행에 대해 교육하고, 이를 통해 조직 내 지속 가능한 문화를 조성합니다.

지역사회와의 교육 및 인식 제고 프로그램: 지역사회와 함께 환경 보호 및 지속 가능한 개발에 대한 교육 프로그램을 개발하고 실행합니다.

RE100에 참여하는 콘텐츠 산업 회사들의 지속 가능한 비즈니스 전략 및 커뮤니케이션 사례는 산업의 환경적 책임과 사회적 책임을 강화하는 동시에 경쟁력을 유지하는 방법을 보여줍니다. 이러한 사례들은 다른 기업들에게 지속 가능한 방향으로의 전환을 위한 구체적인 모델을 제공하며, 산업 전반에 걸쳐 지속 가능한 발전을 촉진하는 데 기여합니다.

사례 연구 및 베스트 사례 공유

RE100 이니셔티브에 참여하는 콘텐츠 회사들은 지속 가능한 에너지 사용 및 운영 방식에 대한 사례 연구와 베스트 사례를 공유함으로써, 업계 내 지속 가능한 발전을 촉진하고 있습니다. 이러한 사례 연구와 공유는 다른 기업들에게 유용한 지침을 제공하며, 업계 전반의 환경적 지속 가능성을 높이는 데 중요한 역할을 합니다.

① 에너지 효율성 및 재생가능 에너지 사용 사례

에너지 효율성 향상 사례: 다양한 콘텐츠 회사들은 건물 설계, 조명 시스템, 기술 장비의 에너지 효율성을 개선한 사례를 공유합니다. 이러한 사례들은 에너지 소비를 줄이면서도 효과적인 제작 환경을 유지하는 방법을 보여줍니다.

재생가능 에너지 전환 사례: 태양광 패널 설치, 풍력 에너지 사용, 재생가능 에너지 구매 계약 등의 사례를 통해 재생가능 에너지로의 전환 과정과 이점을 공유합니다.

② 지속 가능한 제작 및 운영 베스트 프랙티스

친환경 제작 방법: 지속 가능한 자재 사용, 재활용 프로그램, 에너지 효율적인 제작 기술 등의 베스트 프랙티스를 공유하며, 이를 통해 제작 과정에서의 환경 영향을 최소화하는 방법을 제시합니다.

지속 가능한 사무실 운영: 재생가능 에너지 사용, 에너지 효율적인 사무실 설계, 지속 가능한 물류 관리 등의 사례를 공유하여 지속 가능한 사무실 운영 방법을 제시합니다.

③ 교육 및 인식 제고 활동

직원 및 이해관계자 교육: 지속 가능한 실천에 대한 교육 프로그램과 워크숍을 통해 직원 및 파트너의 지속 가능성에 대한 인식을 높이는 사례를 공유합니다.

대외 커뮤니케이션 전략: 지속 가능한 실천에 대한 대외 커뮤니케이션 및 마케팅 전략 사례를 공유하여, 다른 기업들이 자사의 지속 가능한 노력을 효과적으로 대외적으로 알리는 방법을 배울 수 있도록 합니다.

④ 파트너십 및 협력을 통한 지속 가능한 발전

산업 간 협력: 다른 산업과의 협력 사례를 공유하여, 지속 가능한 발전을 위한 파트너십 구축 방법을 제시합니다.

지역사회와의 협력: 지역사회와의 협력을 통한 지속 가능한 프로젝트 사례를 공유하고, 이를 통해 지역 경제 및 사회적 발전에 기여하는 방법을 모색합니다.

RE100에 참여하는 콘텐츠 회사들의 사례 연구 및 베스트 프랙티스 공유는 콘텐츠 산업 내에서 환경적 지속 가능성을 높이고, 다른 기업들에게 실질적인 지침과 영감을 제공합니다. 이러한 공유는 산업 전반에 걸쳐 지속 가능한 비즈니스 모델과 실천을 촉진하는 데 중요한 역할을 하며, 산업의 장기적인 지속 가능한 발전을 위한 기반을 마련합니다.

RE100에 참여하는 콘텐츠 회사들의 이러한 노력은 콘텐츠 산업의 지속 가능한 발전에 중요한 기여를 하고 있으며, 이를 통해 환경적 책임과 사회적 책임을 다하는 미래 지향적인 산업으로의 변화를 선도하고 있습니다. 이러한 사례들은 다른 회사들에게도 영감을 제공하며, 전체 산업의 지속 가능한 전환을 위한 모범 사례로 작용합니다.

4-4. RE100이 콘텐츠산업의 투자와 마케팅에 미치는 영향

RE100 이니셔티브는 콘텐츠 산업에 있어서 투자와 마케팅 전략에 중대한 영향을 미치고 있습니다. 재생가능 에너지로의 전환은 산업의 지속 가능성을 높이는 동시에 새로운 투자 기회를 창출하며, 마케팅 전략에도 중요한 변화를 가져오고 있습니다.

투자의 변화와 기회

① 지속 가능한 투자의 증가

재생가능 에너지 기술 투자: 콘텐츠 회사들은 태양광, 풍력과 같은 재생가능 에너지 기술에 대한 투자를 증가시키고 있습니다. 이러한 투자는 장기적인 에너지 비용 절감 및 탄소 배출 감소에 기여합니다.

에너지 효율적인 인프라 구축: 새로운 제작 시설, 사무실, 스튜디오 건설에 있어서 에너지 효율성을 고려한 설계와 건축 자재의 사용이 증가하고 있습니다.

② 지속 가능성 중심의 투자 전략

리스크 관리: 재생가능 에너지로의 전환은 환경 규제에 대응하는 효과적인 리스크 관리 전략이 됩니다. 이는 미래의 규제 변경에 따른 비용 상승 위험을 줄입니다.

장기적인 수익성과 가치 창출: 지속 가능한 투자는 장기적인 관점에서 회사의 수익성과 시장 가치를 증진시킵니다. 지속 가능한 운영 모델은 비용 절감, 브랜드 가치 향상, 소비자 충성도 증가 등을 가져옵니다.

③ 투자자와 시장의 변화 인식

투자자들의 지속 가능한 투자 요구: 투자자들은 기업의 환경적 책임과 지속 가능한 투자에 대한 인식이 높아지고 있으며, 이는 기업의 투자 전략에 중요한 영향을 미칩니다.

지속 가능한 투자 상품의 개발: 투자 시장에서는 지속 가능한 투자 상품과 서비스가 증가하고 있으며, 이는 산업 내에서 지속 가능한 발전을 촉진하는 중요한 요인입니다.

④ 혁신과 신기술 개발을 통한 기회 창출

혁신적 기술 개발 및 적용: 재생가능 에너지, 에너지 효율, 지속 가능한 제작 방법 등에 대한 연구와 개발에 투자함으로써, 산업 내 혁신을 촉진합니다.

새로운 비즈니스 모델의 탐색: 지속 가능성을 중심으로 한 새로운 비즈니스 모델을 개발하고, 이를 통해 시장에서 새로운 기회를 창출합니다.

RE100 이니셔티브와 콘텐츠 산업의 상호작용은 투자 전략에 중요한 변화를 가져오며, 산업의 지속 가능한 발전을 위한 새로운 기회를 제공합니다. 이러한 변화는 콘텐츠 산업이 장기적으로 환경적, 경제적으로 지속 가능한 방향으로 나아갈 수 있는 기반을 마련합니다.

마케팅 전략의 변화

RE100 이니셔티브는 콘텐츠 산업의 마케팅 전략에 중요한 변화를 가져오고 있습니다. 이러한 변화는 지속 가능한 가치를 중심으로 한 브랜딩, 친환경 메시지의 강조, 그리고 대중과의 소통 방식에 영향을 미치고 있습니다.

① 지속 가능성 중심의 브랜딩

친환경 브랜드 이미지 강화: RE100 참여는 회사의 친환경적 이미지를 강화하는 중요한 요소로 작용합니다. 이를 통해 소비자들에게 회사의 환경에 대한 책임감과 지속 가능한 실천을 강조합니다.

지속 가능한 가치의 전달: 마케팅 메시지에 지속 가능성을 강조하여, 소비자들에게 회사의 환경 보호 노력과 지속 가능한 제품 및 서비스에 대해 알립니다.

② 친환경 제품 및 서비스 마케팅

환경 친화적인 제품 홍보: 제품이나 서비스가 환경에 미치는 긍정적인 영향을 마케팅 캠페인에 포함시켜, 소비자들이 친환경적인 선택을 할 수 있도록 독려합니다.

에코 라벨링 및 인증 활용: 제품이나 서비스의 친환경적 특성을 강조하기 위해 에코 라벨, 친환경 인증 등을 활용합니다.

③ 소비자 인식과 참여의 증진

소비자 교육 및 인식 제고: 환경 보호와 지속 가능한 소비에 대한 소비자 교육을 강화하고, 이를 통해 소비자의 환경적 인식을 높입니다.

소셜 미디어 및 디지털 캠페인: 소셜 미디어, 웹사이트, 온라인 광고 등을 통해 환경적 메시지를 전달하고, 소비자와의 참여를 촉진합니다.

④ 지속 가능한 이벤트 및 프로모션

친환경 이벤트 개최: 제품 출시, 프로모션, 기업 이벤트 등을 지속 가능한 방식으로 개최하며, 이를 통해 지속 가능성에 대한 메시지를 강화합니다.

지역사회 참여 프로그램: 지역사회와 협력하여 지역 경제 및 환경 보호 활동에 참여하고, 이를 마케팅 활동에 포함시켜 회사의 사회적 책임을 강조합니다.

RE100 참여는 콘텐츠 산업이 마케팅 전략을 재정립하고, 지속 가능한 가치를 중심으로 한 새로운 브랜딩을 수립하는 기회를 제공합니다. 이러한 변화는 소비자들의 친환경적인 제품과 서비스에 대한 수요를 만족시키고, 회사의 브랜드 가치를 높이며, 장기적으로 산업의 지속 가능한 발전을 촉진합니다. 이는 또한 환경적 책임을 다하는 동시에, 경제적으로도 건전하게 성장할 수 있는 방향을 제시합니다.

⑤ 환경적 책임과 기업의 사회적 역할

환경 보호 메시지의 강화: RE100 참여 기업들은 마케팅 활동을 통해 환경 보호 및 지속 가능한 발전의 중요성을 강조합니다. 이는 기업의 사회적 책임을 나타내고, 공익적 가치를 전달하는 방법이 됩니다.

소비자와의 대화 증진: 친환경 제품과 서비스에 대한 소비자의 인식과 기대를 반영하여, 소비자와의 대화를 증진시키고 더 밀접한 관계를 형성합니다.

지속 가능한 브랜드 스토리텔링

브랜드 스토리에 지속 가능성 통합: 회사의 브랜드 스토리텔링에 지속 가능한 실천과 가치를 통합하여, 브랜드에 대한 긍정적인 인식을 구축합니다.

차별화된 마케팅 캠페인: 지속 가능한 브랜드 이미지를 바탕으로 차별화된 마케팅 캠페인을 개발하여, 시장에서의 경쟁력을 강화합니다.

RE100 참여와 관련된 마케팅 전략의 변화는 콘텐츠 산업에 있어서 지속 가능한 브랜드 가치의 중요성을 부각시킵니다. 이러한 전략은 환경 보호 및 지속 가능한 발전에 대한 대중의 인식을 제고하고, 산업 전반의 환경적 책임과 경제적 성장을 조화롭게 이끌어 나가는 데 기여합니다.

투자자와 소비자의 인식 변화

RE100 이니셔티브는 콘텐츠 산업에 대한 투자자와 소비자의 인식에 중대한 영향을 미치고 있습니다. 재생가능 에너지로의 전환 및 지속 가능한 비즈니스 실천은 투자자와 소비자 모두에게 중요한 메시지를 전달하며, 이는 산업의 투자 및 마케팅 전략에 변화를 가져오고 있습니다.

① 투자자 인식의 변화

지속 가능한 투자에 대한 선호 증가: 현대의 투자자들은 단순한 재정적 수익뿐만 아니라, 환경적, 사회적 책임을 고려한 투자를 선호하고 있습니다. RE100과 같은 이니셔티브에 참여하는 기업들은 이러한 투자자들에게 매력적인 대상이 됩니다.

장기적인 가치와 리스크 관리: 지속 가능한 비즈니스 모델은 장기적인 가치 창출과 함께 환경적 리스크 관리에 기여한다는 인식이 증가하고 있습니다. 이는 투자 결정에 있어 중요한 고려 사항이 됩니다.

② 소비자 인식의 변화

친환경 제품에 대한 선호도 증가: 환경에 대한 인식이 높아짐에 따라 소비자들은 친환경적인 제품과 서비스에 대한 선호도가 증가하고 있습니다. 이는 콘텐츠 산업에 있어서도 마찬가지로, 친환경적인 제작 방식과 제품을 선호합니다.

브랜드 선택에서의 지속 가능성 고려: 소비자들은 제품을 선택할 때 브랜드의 지속 가능한 실천을 중요한 기준으로 삼고 있으며, 이는 구매 결정에 큰 영향을 미치고 있습니다.

③ 마케팅 전략의 변화

환경적 가치의 마케팅 중심화: 기업들은 마케팅 전략에서 환경적 가치를 강조함으로써 소비자의 관심을 끌고, 브랜드 충성도를 높이고자 합니다.

소비자 참여와 대화 촉진: 친환경 메시지와 지속 가능한 실천을 마케팅 전략에 통합하여, 소비자와의 대화를 촉진하고 참여를 유도합니다.

RE100 이니셔티브에 대한 콘텐츠 산업의 반응은 투자자와 소비자의 인식을 변화시키는 동시에 새로운 기회를 창출하고 있습니다. 이러한 인식의 변화는 산업의 장기적인 지속 가능한 발전에 기여하며, 환경적 책임과 경제적 성장을 조화롭게 이끌어 나가는 데 중요한 역할을 합니다.

기업 가치와 경쟁력 강화

RE100 이니셔티브는 콘텐츠 산업의 투자와 마케팅 전략에 깊은 영향을 미치며, 이를 통해 기업의 가치와 경쟁력을 강화하는 중요한 기회를 제공합니다. 재생가능 에너지 사용으로의 전환은 비즈니스 모델의 혁신을 촉진하며, 산업 내에서 지속 가능한 발전을 이끌고 있습니다.

① 투자 전략의 변화

지속 가능한 인프라 투자 증가: 재생가능 에너지 소스, 에너지 효율적인 제작 설비 및 기술에 대한 투자가 증가하고 있습니다. 이러한 투자는 장기적으로 에너지 비용을 절감하고, 환경적 리스크를 감소시키는 효과를 가져옵니다.

장기적 수익성과 가치 창출: 지속 가능한 비즈니스 전략은 장기적인 수익성과 기업 가치를 증대시키며, 투자자에게 매력적인 투자 기회를 제공합니다.

② 마케팅 전략의 혁신

지속 가능성 기반의 브랜딩: 기업은 RE100 참여를 마케팅 전략의 핵심 요소로 삼아, 지속 가능한 이미지를 강조합니다. 이는 소비자의 환경에 대한 인식을 제고하고, 브랜드 충성도를 높이는 데 기여합니다.

친환경 제품 및 서비스의 마케팅 강화: 소비자들이 지속 가능한 제품과 서비스를 선호함에 따라, 친환경적인 콘텐츠와 서비스를 마케팅의 중심에 두고 이를 홍보합니다.

③ 기업 가치와 경쟁력의 강화

환경적 책임과 기업 가치: RE100 참여는 기업의 환경적 책임을 강조하며, 이는 기업의 사회적 책임과 브랜드 가치를 높이는 데 기여합니다.

경쟁력 있는 지속 가능한 비즈니스 모델: 지속 가능한 비즈니스 모델은 기업에 경쟁 우위를 제공하며, 새로운 시장과 소비자 기반을 개척하는 데 도움이 됩니다.

④ 소비자와 투자자의 인식 변화 대응

투자자들의 지속 가능한 투자 요구 대응: 지속 가능한 투자에 대한 투자자들의 요구에 대응하여, 환경적 지속 가능성을 중심으로 한 비즈니스 전략을 수립하고 이를 실행합니다.

소비자 인식의 변화에 따른 마케팅 전략 조정: 소비자들이 친환경 제품에 대한 선호도가 높아짐에 따라, 이에 부응하는 마케팅 전략을 채택하고 실행합니다.

RE100과 콘텐츠 산업의 상호작용을 통한 이러한 변화와 기회는 산업의 지속 가능한 발전을 촉진하고, 기업의 장기적인 가치와 경쟁력을 강화하는 데 중요한 역할을 합니다. 지속 가능한 비즈니스 모델과 전략의 도입은 환경적 책임을 다하는 동시에 경제적 성공을 추구하는 기업에게 중요한 요소가 되고 있습니다.

RE100과 콘텐츠 산업의 상호작용은 산업 내에서 지속 가능한 투자와 마케팅 전략을 장려하고 있으며, 이는 산업의 지속 가능한 발전을 위한 중요한 동력이 됩니다. 이러한 변화는 콘텐츠 산업이 환경적 책임을 다하는 동시에 경제적으로도 건전하게 성장할 수 있는 길을 제시합니다.

5. 콘텐츠 제작에서의 지속 가능성

5.1 지속 가능한 콘텐츠 제작의 중요성

콘텐츠 제작 분야에서 지속 가능한 방법을 채택하는 것은 환경 보호, 자원 효율성 증대, 그리고 장기적인 산업의 지속 가능성 확보에 있어 매우 중요합니다. 지속 가능한 콘텐츠 제작은 산업의 환경적 발자국을 줄이는 동시에, 새로운 비즈니스 기회를 창출하고, 기업의 사회적 책임을 강화합니다.

환경 보호와 자원의 효율적 사용

콘텐츠 제작에서 지속 가능성을 추구하는 것은 환경 보호와 자원의 효율적 사용에 큰 중요성을 가집니다. 이는 산업의 장기적인 지속 가능성뿐만 아니라, 지구 환경에 대한 책임감 있는 태도를 반영하는 것입니다.

① 환경 보호의 중요성

기후 변화 대응: 콘텐츠 제작 과정에서 발생하는 탄소 배출은 기후 변화에 기여합니다. 에너지 효율적인 조명, 카메라 장비의 사용, 재생가능 에너지의 활용 등은 탄소 발자국을 줄이는 데 중요합니다.

자연 자원 보호: 콘텐츠 제작에 사용되는 자원 중 일부는 한정적이거나 환경에 부정적인 영향을 미칠 수 있습니다. 지속 가

능한 자재의 선택과 효율적인 사용은 자연 자원을 보호하는 데 기여합니다.

② 자원 효율적 사용의 중요성

비용 절감과 경제적 지속 가능성: 에너지 및 자재의 효율적 사용은 장기적인 비용 절감을 가져오며, 이는 콘텐츠 회사의 경제적 지속 가능성을 강화합니다.

자원 낭비 최소화: 재사용 가능한 세트, 소품, 의상의 사용과 재활용을 통해 자원 낭비를 줄일 수 있으며, 이는 환경적 측면뿐만 아니라 경제적으로도 이득입니다.

③ 지속 가능한 제작 과정의 구현

친환경 제작 방식의 도입: 환경 친화적인 제작 방식을 채택함으로써, 제작 과정에서 발생하는 환경적 영향을 최소화할 수 있습니다. 예를 들어, 전자문서 사용으로 종이 낭비를 줄이고, 디지털 기술을 활용하여 물리적 자재 사용을 감소시킵니다.

지속 가능한 로케이션 관리: 촬영 장소의 환경에 미치는 영향을 고려하고, 자연 보호구역에서의 촬영 시 특별한 주의를 기울입니다.

④ 교육 및 인식 제고

직원 및 스태프 교육: 지속 가능한 제작 방식에 대한 교육을 통해 직원과 스태프의 환경 의식을 높이고, 실천을 장려합니다.

대중과의 커뮤니케이션: 콘텐츠 제작 과정에서의 지속 가능한 실천을 대중에게 알림으로써, 환경 보호에 대한 인식을 제고하고, 산업 전반에 긍정적인 영향을 미칩니다.

지속 가능한 콘텐츠 제작은 환경 보호와 자원 효율적 사용을 통해 콘텐츠 산업이 장기적으로 지속 가능하고 책임감 있는 방향으로 나아가는 데 중요한 역할을 합니다. 이러한 실천은 산업 내에서 뿐만 아니라, 사회 전반에 걸쳐 지속 가능한 발전을 촉진하는 데 기여합니다.

지속 가능한 비즈니스 모델의 구축

콘텐츠 제작에서의 지속 가능성은 기업이 지속 가능한 비즈니스 모델을 구축하는 데 중요한 역할을 합니다. 이는 환경적 책임, 경제적 효율성 및 사회적 영향력 측면에서 중대한 의미를 가지며, 기업의 장기적 성공과 업계의 지속 가능한 발전에 기여합니다.

① 환경적 책임의 실현

탄소 배출 감소: 지속 가능한 콘텐츠 제작은 에너지 효율적인 장비와 기술의 사용을 통해 탄소 배출을 줄입니다. 이는 기후 변화 대응에 중요한 기여를 하며, 기업이 환경적 책임을 다하는 데 필수적입니다.

자원 보존 및 관리: 재활용 가능한 자재의 사용, 폐기물 최소화 전략, 자원의 효율적 관리는 자연 자원의 보존에 기여하며, 환

경적 지속 가능성을 높입니다.

② 경제적 효율성과 비용 절감

장기적 비용 절감: 에너지 효율적인 기술과 재활용 자재의 사용은 단기적인 비용을 초래할 수 있지만, 장기적으로는 운영 비용을 절감합니다.

리스크 관리: 환경 규제에 대응하고, 환경적 리스크로 인한 비용 상승을 예방하는 데 지속 가능한 콘텐츠 제작 방식이 중요한 역할을 합니다.

③ 사회적 영향력과 브랜드 가치

사회적 책임 강조: 지속 가능한 콘텐츠 제작은 기업의 사회적 책임을 강조하며, 이는 소비자와 투자자에게 긍정적인 브랜드 이미지를 구축합니다.

시장에서의 경쟁 우위: 친환경 제품과 서비스에 대한 소비자의 선호도 증가에 따라, 지속 가능한 제작 방식은 시장에서의 경쟁력을 강화합니다.

④ 지속 가능한 비즈니스 모델의 구축

혁신 및 적응: 지속 가능한 콘텐츠 제작 방식은 기술적 혁신을 촉진하며, 변화하는 시장 환경에 적응하는 유연성을 제공합니다.

업계 표준의 설정: 지속 가능한 콘텐츠 제작 방식을 도입하는 기업은 업계 내에서 지속 가능한 표준을 설정하고, 다른 기업들에게 모범을 제시합니다.

지속 가능한 콘텐츠 제작은 환경적, 경제적, 사회적 측면에서 기업의 지속 가능한 비즈니스 모델을 구축하는 데 필수적인 요소입니다. 이는 단순한 윤리적 선택을 넘어서, 기업의 장기적인 성공과 업계의 지속 가능한 발전에 중요한 기여를 합니다. 지속 가능한 콘텐츠 제작 방식의 채택은 기업이 사회적 책임을 다하고, 경제적으로 건강하게 성장하며, 환경적으로 지속 가능한 방향으로 나아가는 데 중요한 역할을 합니다.

사회적 책임과 브랜드 이미지

콘텐츠 제작 분야에서 지속 가능한 실천은 단순히 환경적 측면을 넘어서 사회적 책임과 브랜드 이미지에도 큰 영향을 미칩니다. 지속 가능한 콘텐츠 제작 방식은 기업이 사회적으로 책임감 있는 방식으로 운영되고 있음을 보여주며, 소비자 및 이해관계자들에게 긍정적인 브랜드 인식을 제공합니다.

① 사회적 책임의 실현

환경 보호 기여: 지속 가능한 콘텐츠 제작은 탄소 배출 감소, 자원의 효율적 사용, 폐기물 최소화 등을 통해 환경 보호에 기여합니다. 이러한 실천은 기업이 글로벌 환경 문제에 적극적으로 대응하고 있음을 보여주며, 사회적 책임을 다하는 모습을

나타냅니다.

사회적 가치 창출: 지속 가능한 제작 방식을 채택함으로써, 기업은 지역사회와 환경에 미치는 긍정적인 영향을 높이고, 이를 통해 사회적 가치를 창출합니다.

② 브랜드 이미지의 강화

긍정적인 브랜드 인식: 소비자들은 점차 환경적 책임을 중시하는 기업에 대해 긍정적인 인식을 가지고 있습니다. 지속 가능한 콘텐츠 제작을 통해 기업은 친환경적이고 사회적으로 책임 있는 브랜드 이미지를 구축할 수 있습니다.

경쟁력 있는 마케팅 메시지: 지속 가능한 실천을 마케팅 전략에 통합함으로써, 기업은 독특하고 경쟁력 있는 브랜드 메시지를 전달할 수 있습니다. 이는 소비자의 관심을 끌고, 브랜드 충성도를 높이는 데 도움이 됩니다.

③ 장기적 비즈니스 성공에의 기여

지속 가능한 브랜드 가치: 지속 가능한 제작 방식은 장기적으로 브랜드 가치를 증대시킵니다. 이는 투자자와 소비자 모두에게 매력적인 요소가 될 수 있으며, 기업의 지속 가능한 성장을 지원합니다.

소비자와의 신뢰 구축: 친환경적이고 사회적으로 책임 있는 방식으로 운영되는 기업은 소비자와의 신뢰를 구축할 수 있으며,

이는 장기적인 고객 관계 및 시장에서의 지속 가능한 성공을 이끌어냅니다.

콘텐츠 제작에서의 지속 가능성은 기업이 사회적 책임을 실현하고, 긍정적인 브랜드 이미지를 구축하며, 장기적인 비즈니스 성공을 도모하는 데 중요한 역할을 합니다. 이러한 실천은 단순한 윤리적 의무를 넘어서 기업의 핵심 경쟁력을 강화하고, 산업 전반의 지속 가능한 발전을 촉진하는 데 기여합니다.

산업 전반의 지속 가능성 추진

콘텐츠 제작에서 지속 가능한 방법을 채택하는 것은 산업 전반에 걸쳐 지속 가능성을 촉진하는 데 매우 중요한 역할을 합니다. 이는 환경적, 사회적, 경제적 측면에서 산업의 장기적인 지속 가능성을 높이는 데 기여하며, 산업의 변화와 발전을 이끄는 중요한 동력이 됩니다.

① 환경적 지속 가능성 강화

탄소 배출 감소: 에너지 효율적인 조명 및 장비 사용, 재생가능 에너지로의 전환은 콘텐츠 제작 과정에서 발생하는 탄소 배출을 크게 줄입니다. 이는 기후 변화 대응에 중요한 기여를 하며, 업계 전반의 환경적 발자국을 감소시킵니다.

자원의 지속 가능한 관리: 자원의 재활용, 재사용 및 효율적인 사용을 통해 산업 전반의 자원 관리를 개선합니다. 이는 자연 자원의 보존과 환경적 지속 가능성을 증진시킵니다.

② 경제적 지속 가능성 증진

비용 효율성과 경제적 이익: 지속 가능한 콘텐츠 제작은 장기적으로 비용 절감 효과를 가져옵니다. 에너지 절약, 재료 비용 감소는 기업의 경제적 지속 가능성을 증진시킵니다.

신시장 및 비즈니스 기회 창출: 지속 가능한 콘텐츠 제작은 새로운 시장과 비즈니스 기회를 창출합니다. 친환경적인 제품과 서비스에 대한 수요가 증가함에 따라, 이에 부응하는 콘텐츠 및 서비스를 제공하는 기업은 시장에서의 경쟁력을 강화할 수 있습니다.

③ 사회적 책임과 업계의 리더십

기업의 사회적 책임 실천: 지속 가능한 콘텐츠 제작은 기업의 사회적 책임을 강조합니다. 이는 기업의 긍정적인 사회적 이미지를 구축하고, 소비자 및 투자자의 신뢰를 얻는 데 기여합니다.

업계 표준 및 베스트 프랙티스 설정: 지속 가능한 콘텐츠 제작 방식을 채택하는 선도 기업들은 업계 내에서 베스트 프랙티스와 표준을 설정합니다. 이는 다른 기업들에게 영향을 미치고, 업계 전반의 지속 가능한 발전을 촉진합니다.

지속 가능한 콘텐츠 제작은 산업의 환경적, 경제적, 사회적 지속 가능성을 높이는 핵심 요소입니다. 이러한 접근은 산업이 장기적으로 환경적으로 책임감 있는 방식으로 성장하고 발전할 수 있는 기반을 마련하며, 지속 가능한 미래를 향한 산업 전반의 노력을 이끌어 나갑니다. 지속 가능한 콘텐츠 제작은 단순한 윤리적 선택을 넘어서, 산업의 혁신과 경쟁력을 강화하는 중요한 전략으로 자리 잡고 있습니다.

5.2 콘텐츠 제작 과정에서 발생하는 환경 문제

콘텐츠 제작 과정에서 지속 가능성을 고려하지 않을 경우 다양한 환경 문제가 발생할 수 있습니다. 이러한 문제들은 산업의 환경적 발자국을 증가시키고, 지구 환경에 부정적인 영향을 미치며, 장기적으로 산업의 지속 가능성에도 해를 끼칩니다.

에너지 소비와 탄소 배출

지속 가능한 콘텐츠 제작 과정에서의 환경 문제는 주로 고도의 에너지 소비와 이에 따른 탄소 배출에서 비롯됩니다. 이러한 문제들은 산업의 환경적 발자국을 크게 증가시키며, 기후 변화와 자원 고갈과 같은 글로벌 환경 문제에 기여합니다.

① 에너지 소비의 문제

조명과 장비의 고에너지 소비: 콘텐츠 제작, 특히 영화 및 방송 제작에서 사용되는 조명과 기술 장비는 상당한 양의 에너지를 소비합니다. 전통적인 조명 장비는 특히 에너지 효율이 낮아 환경에 부정적인 영향을 미칩니다.

스튜디오와 사무실의 에너지 소비: 제작 스튜디오 및 사무실은 난방, 냉방, 전력 사용 등에 있어서 상당한 에너지를 소비합니다. 에너지 효율이 낮은 건물은 이러한 문제를 더욱 심화시킵니다.

② 탄소 배출 문제

발전기 사용에 따른 탄소 배출: 외부 촬영 시 사용되는 디젤 발전기는 대량의 탄소 배출을 유발합니다. 이는 특히 원격 지역이나 전력 공급이 어려운 지역에서의 촬영에 문제가 됩니다.

교통 및 물류에서의 배출: 촬영 장비, 스태프, 배우들의 이동에 사용되는 교통 수단은 상당한 탄소 배출을 유발합니다. 이는 특히 장거리 이동이 필요한 대규모 프로덕션에서 문제가 됩니다.

③ 기타 환경 문제

소음 및 광 오염: 촬영 현장에서 발생하는 소음과 강한 조명은 광 오염 및 소음 오염을 유발하여 인근 지역의 생태계 및 주민들에게 영향을 미칠 수 있습니다.

자연 환경의 훼손: 촬영 장소가 자연 환경인 경우, 촬영 활동으로 인해 식생 파괴, 토양 침식, 야생동물 서식지의 교란과 같은

환경 문제가 발생할 수 있습니다.

이러한 문제들은 콘텐츠 제작 과정에서 지속 가능한 방법을 채택하지 않을 때 더욱 심화될 수 있으며, 산업 전반의 지속 가능성에 부정적인 영향을 미칩니다. 따라서, 에너지 효율을 높이고, 탄소 배출을 줄이며, 자연 환경을 보호하는 지속 가능한 콘텐츠 제작 방법의 채택은 산업의 장기적인 지속 가능한 발전을 위해 필수적입니다. 이러한 실천은 기후 변화 대응, 자원 보존, 그리고 환경적 책임감 있는 사회 구축에 중요한 기여를 합니다.

폐기물 및 자원 낭비

지속 가능한 콘텐츠 제작을 추구하지 않을 경우, 콘텐츠 제작 과정에서 발생하는 폐기물과 자원 낭비는 심각한 환경 문제를 야기합니다. 이러한 문제는 산업의 환경적 발자국을 증가시키며, 지속 가능성을 저해하는 주요 요인이 됩니다.

① 세트 및 소품 제작에서의 폐기물 문제

일회용 세트와 소품의 사용: 많은 콘텐츠 제작 과정에서 일회용 세트와 소품이 사용됩니다. 이러한 일회용 자재는 사용 후 대량의 폐기물을 발생시키며, 이는 매립지에서 환경 문제를 야기합니다.

자재의 비효율적 사용: 세트와 소품 제작에 필요한 자재가 비효율적으로 사용될 경우, 필요 이상의 자원이 소비되며, 이는 자원 낭비로 이어집니다.

② 촬영 후 폐기물 처리 문제

대량의 세트 폐기: 촬영이 끝난 후 대규모 세트를 철거하고 폐기하는 과정에서 대량의 폐기물이 발생합니다. 이는 매립지 부담을 증가시키고, 환경에 부정적인 영향을 미칩니다.

소품 및 의상의 폐기: 촬영에 사용된 소품, 의상, 기타 장비들이 재활용되지 않고 버려질 경우, 이 역시 상당한 양의 폐기물을 생성합니다.

③ 자원의 비효율적 관리

자재의 단기적 사용: 제작에 사용되는 자재가 단기간만 사용되고 버려지는 경우, 이는 자원의 비효율적인 사용을 의미합니다. 장기적인 관점에서 자원을 관리하는 방식이 필요합니다.

재활용 및 재사용의 부족: 콘텐츠 제작 과정에서 발생하는 재료들이 적절히 재활용되거나 재사용되지 않을 경우, 이는 자원의 낭비로 이어집니다.

④ 환경 문제 해결을 위한 지속 가능한 실천

재활용 가능한 자재 사용: 콘텐츠 제작 시 재활용 가능한 자재를 사용하여 폐기물을 줄입니다.

세트 및 소품의 재사용: 세트와 소품을 재사용하거나, 다른 제작물에 기부하고 공유함으로써 자원의 효율적 사용을 도모합니다.

지속 가능한 자재 관리 정책: 제작 과정에서 자재의 구매, 사용, 폐기에 이르는 전 과정에 걸쳐 지속 가능한 관리 정책을 수립하고 실행합니다.

콘텐츠 제작 과정에서의 폐기물 및 자원 낭비 문제는 산업의 환경적 책임과 직결되며, 이를 해결하기 위한 지속 가능한 실천은 산업의 장기적인 지속 가능성을 보장하는 핵심 요소입니다. 지속 가능한 콘텐츠 제작 방식의 도입은 환경적 발자국을 줄이고, 자원을 효율적으로 사용하며, 산업 전반의 지속 가능한 발전을 촉진하는 데 중요한 역할을 합니다.

교통 및 물류

지속 가능한 콘텐츠 제작 과정에서 교통 및 물류 활동은 다양한 환경 문제를 야기할 수 있습니다. 이러한 문제들은 탄소 배출, 에너지 소비, 그리고 자연 환경의 훼손과 관련이 있으며, 산업의 지속 가능성에 심각한 영향을 미칠 수 있습니다.

① 교통 수단에 의한 탄소 배출

장비 및 인력 운송: 촬영 장비, 세트, 소품, 그리고 스태프 및 배우들의 이동에 필요한 대형 차량과 비행기는 상당한 양의 탄소를 배출합니다. 특히 장거리 이동이 필요한 경우, 이러한 탄소 배출은 더욱 증가합니다.

발전기 사용: 외부 촬영 시 종종 사용되는 이동식 발전기는 디젤 연료를 사용하며, 이는 추가적인 탄소 배출을 유발합니다.

② 비효율적인 물류 관리

물류 계획의 부족: 촬영 장비와 자재의 운송 계획이 효율적으로 수립되지 않을 경우, 불필요한 이동과 운송이 발생하여 에너지 소비와 탄소 배출을 증가시킵니다.

재고 관리의 문제: 적절한 재고 관리가 이루어지지 않을 경우, 반복적인 주문과 급히 필요한 자재의 긴급 배송이 필요해져 추가적인 환경 부담을 야기합니다.

③ 자연 환경의 훼손

촬영 장소의 환경 훼손: 촬영에 사용되는 장비와 차량이 자연 환경을 훼손할 수 있습니다. 무거운 장비와 차량의 이동은 지면을 압박하고, 식생을 파괴하며, 야생동물의 서식지를 방해할 수 있습니다.

소음 및 광 오염: 촬영 장비와 차량의 운행으로 인한 소음 및 조명 사용은 광 오염과 소음 오염을 일으키며, 이는 인근 지역의 생태계 및 주민들에게 영향을 미칩니다.

④ 지속 가능한 교통 및 물류 관리의 필요성

친환경적인 운송 수단의 사용: 가능한 한 친환경적인 운송 수단(예: 전기차, 하이브리드 차량)을 사용하여 탄소 배출을 줄입니다.

효율적인 물류 계획 수립: 자재 및 장비의 운송을 위한 효율적인 물류 계획을 수립하여 불필요한 이동을 최소화합니다.

지역 자재의 활용: 가능한 경우, 촬영 장소 인근에서 자재를 구매하거나 임대하여 장거리 운송으로 인한 환경 부담을 줄입니다.

콘텐츠 제작 과정에서의 교통 및 물류 활동은 산업의 환경적 발자국에 중요한 영향을 미칩니다. 지속 가능한 교통 및 물류 관리 방법의 도입은 환경적 책임을 다하고, 지속 가능한 콘텐츠 제작을 실현하는 데 필수적입니다. 이러한 실천은 산업 전반의 환경적 지속 가능성을 높이며, 기후 변화 대응 및 자원 보존에 중요한 기여를 합니다.

자연 환경의 훼손

지속 가능한 콘텐츠 제작 과정에서 주의 깊게 관리되지 않을 경우, 다양한 환경 문제가 발생할 수 있으며, 이 중 자연 환경의 훼손은 특히 중요한 문제입니다. 이러한 문제들은 콘텐츠 제작의 지속 가능성뿐만 아니라 전반적인 환경 보호에도 영향을 미칩니다.

① 자연 환경의 훼손

촬영 장소에서의 생태계 교란: 자연 환경을 촬영 장소로 사용할 경우, 무분별한 촬영 활동이 주변 생태계에 교란을 일으킬 수 있습니다. 이는 동식물 서식지의 파괴, 지면의 훼손, 식생의 손상으로 이어질 수 있습니다.

쓰레기 및 오염 물질의 배출: 촬영 장비, 세트 구성, 케이터링 등에서 발생하는 쓰레기와 오염 물질이 제대로 처리되지 않으면, 이는 자연 환경을 오염시키고 야생 동물에게 해를 끼칠 수 있습니다.

② 에너지 소비와 탄소 배출

조명과 장비의 고에너지 소비: 촬영에 필요한 조명과 장비는 상당한 에너지를 소비하며, 이는 전력 생산 과정에서의 탄소 배출로 이어질 수 있습니다.

교통 및 물류에서의 탄소 배출: 촬영 장비, 스태프 및 배우들의 이동에 필요한 차량과 비행기의 사용은 탄소 배출의 주요 원인입니다. 특히 장거리 이동이 필요한 경우 배출량이 증가합니다.

③ 폐기물 발생 문제

일회용 세트 및 소품의 폐기: 일회용으로 제작된 촬영 세트와 소품은 사용 후 대량의 폐기물을 발생시키며, 이는 매립지에서 환경 문제를 유발합니다.

자재의 비효율적 사용 및 폐기: 촬영에 필요한 자재가 비효율적으로 사용되거나 재활용되지 않을 경우, 이는 자원 낭비 및 환경에 대한 부담을 가중시킵니다.

④ 소음 및 광 오염

촬영에서 발생하는 소음 및 광 오염: 특히 야간 촬영 시 사용되는 강한 조명과 장비 소음은 광 오염과 소음 오염을 일으키며, 이는 주변 지역 및 야생 동물에게 영향을 미칩니다.

지속 가능한 콘텐츠 제작 과정에서 이러한 환경 문제들을 예방하고 관리하는 것은 매우 중요합니다. 촬영 장소의 선정, 자재와 장비의 사용, 교통 및 물류 계획, 폐기물 관리 등 모든 단계에서 환경적 영향을 최소화하는 지속 가능한 접근 방식이 필요합니다. 이러한 실천은 산업의 환경적 발자국을 줄이고, 자연환경을 보호하며, 콘텐츠 제작 산업의 지속 가능한 발전을 위한 중요한 기반을 마련합니다. 지속 가능한 콘텐츠 제작 방식은 환경 보호 및 자원 보존에 중요한 기여를 하며, 산업의 책임감 있는 미래를 위한 중요한 전략입니다.

콘텐츠 제작 과정에서 발생하는 이러한 환경 문제들은 산업의 지속 가능성을 저해하며, 지구 환경에 대한 책임 있는 행동을 요구합니다. 따라서 콘텐츠 제작 과정에서 지속 가능한 실천을 채택하고, 이러한 환경 문제를 최소화하는 것은 업계의 중요한 책무입니다. 지속 가능한 콘텐츠 제작 방식은 환경적 발자국을 줄이고, 자원을 효율적으로 사용하며, 산업 전반의 지속 가능한 발전을 촉진하는 데 중요한 역할을 합니다.

5.3 지속 가능한 콘텐츠 제작을 위한 기술과 정책

지속 가능한 콘텐츠 제작과 관련된 기술과 정책은 환경, 사회 및 경제적 영향을 고려하여 콘텐츠를 생산하고 배포하는 데 사용되는 방법을 개선하기 위한 다양한 노력의 일환입니다. 이러한 기술과 정책은 환경 친화적인 방식으로 콘텐츠를 생산하고 유지하기 위한 목표를 달성하기 위해 중요합니다.

녹색 에너지 및 친환경 테크놀로지:

콘텐츠 제작 스튜디오 및 데이터 센터에서 신재생 에너지를 사용하는 것은 환경에 대한 영향을 줄이는 데 중요합니다. 태양광 및 풍력 발전소를 활용한 친환경 전력 공급이 이러한 분야에서 더 많이 사용되고 있습니다.

① 태양광 발전소와 풍력 발전소

태양광 패널과 풍력 터빈은 녹색 에너지의 대표적인 예입니다. 이러한 에너지 시스템은 신재생 에너지원으로, 화석 연료 대비 친환경적이며 영구적으로 사용할 수 있는 자원입니다. 콘텐츠 제작 스튜디오와 데이터 센터는 태양광 및 풍력 발전소에서 생산된 전력을 활용하여 에너지를 공급함으로써 탄소 배출을 줄일 수 있습니다.

② 에너지 효율적인 하드웨어

콘텐츠 제작에 사용되는 하드웨어, 예를 들면 컴퓨터 및 서버, 는 에너지 효율적인 디자인과 구성으로 개발될 수 있습니다. 저전력 CPU 및 LED 모니터와 같은 하드웨어 구성 요소는 에너지 소비를 줄이고 친환경적인 제작 환경을 조성하는 데 도움을 줍니다.

③ 가상화 및 클라우드 컴퓨팅

가상화 기술과 클라우드 컴퓨팅은 하드웨어 자원을 효율적으로 활용할 수 있게 해줍니다. 가상화를 통해 서버를 더 효율적으로 관리하고, 클라우드 컴퓨팅을 통해 데이터 센터 리소스의 최적 사용을 실현할 수 있습니다. 이는 에너지와 자원을 절약하는 데 도움이 됩니다.

④ 에너지 효율적인 냉각 시스템

데이터 센터와 콘텐츠 제작 시설에서 발생하는 열을 효율적으로 관리하기 위한 냉각 시스템은 중요합니다. 친환경 냉각 시스템은 전력 소비를 줄이고 열 효율을 높여 전체 에너지 효율을 향상시킵니다.

⑤ 에너지 모니터링 및 관리 시스템

에너지 모니터링 및 관리 시스템은 에너지 사용량을 추적하고 관리할 수 있는 도구를 제공합니다. 이러한 시스템은 에너지 낭비를 줄이고 비효율적인 작업을 개선하는 데 도움을 줍니다.

⑥ 친환경 소재 및 재활용

콘텐츠 제작에 사용되는 소재는 친환경적으로 선택할 수 있습니다. 재생 가능한 자원으로 만들어진 제품을 사용하고, 소비자 제품에 대한 재활용 계획을 도입하여 자원 소비를 줄일 수 있습니다.

녹색 에너지 및 친환경 기술은 콘텐츠 생산 과정에서 에너지 소비와 환경 영향을 줄이는 데 도움을 줍니다. 이러한 기술과 정책을 채택하면 지속 가능한 콘텐츠 제작을 실현하고 환경을 보호하는 데 기여할 수 있습니다.

콘텐츠 최적화 기술

비디오 스트리밍 및 다운로드의 경우, 비디오 압축 및 비트레이트 제어 기술을 사용하여 대역폭 소비를 줄이고 데이터 전송을 최적화합니다. 이렇게 하면 서버 및 네트워크 리소스 사용을 줄일 수 있으며, 더 많은 사용자가 저전력 디바이스에서 비디오를 시청할 수 있습니다.

① 비디오 및 오디오 압축 기술

콘텐츠를 제작할 때 비디오 및 오디오 파일의 크기를 줄이는 압축 기술은 대역폭 및 저장 공간을 절약하는 데 도움이 됩니다. 고품질 비디오 및 오디오 스트림을 더 적은 데이터로 전송할 수 있으며, 이로 인해 사용자가 더 빠르게 콘텐츠를 로드하고 시청할 수 있습니다.

② 비트레이트 스트리밍 및 다운로드 관리

콘텐츠 제공 업체는 사용자의 인터넷 연결 속도에 따라 자동으로 최적의 비트레이트로 비디오 및 오디오를 제공하는 스트리밍 서비스를 제공합니다. 이렇게 하면 낮은 대역폭을 가진 사용자도 고품질 콘텐츠를 시청할 수 있으며, 네트워크 리소스가 효율적으로 활용됩니다.

③ 콘텐츠 캐싱 및 지역화

콘텐츠를 지리적으로 가까운 위치에 캐시하여 사용자에게 빠르게 제공하는 기술은 대역폭 소비를 줄이고 콘텐츠 로딩 시간을 단축시킵니다. 이러한 캐싱 및 지역화 기술은 콘텐츠 제공 업체와 CDN (콘텐츠 전송 네트워크) 제공 업체 간의 협력을 통해 구현됩니다.

④ 자동화 및 AI 기반 콘텐츠 생성

인공 지능 (AI) 및 자동화 기술은 콘텐츠 생성 과정을 자동화하고 최적화할 수 있습니다. 예를 들어, 텍스트 생성 및 이미지 생성을 위한 AI 알고리즘을 사용하여 대규모 콘텐츠를 신속하게 생성할 수 있습니다.

⑤ 모바일 최적화

모바일 기기에서 콘텐츠를 제공하기 위한 최적화 기술은 화면 크기, 대역폭 제한 및 처리 속도를 고려합니다. 콘텐츠는 모바일 디바이스에 맞게 최적화되어야 하며, 이는 사용자 경험을 향상시키고 에너지 소비를 줄이는 데 도움이 됩니다.

⑥ 웹 퍼포먼스 최적화

웹 사이트 및 앱의 성능을 최적화하는 기술은 페이지 로딩 시간을 단축하고 에너지 효율을 향상시킵니다. 이미지 압축, 리소스 병합, 지연로드 (Lazy Loading) 등의 기술을 사용하여 웹 콘텐츠의 퍼포먼스를 향상시킵니다.

⑦ 효율적인 콘텐츠 관리 시스템 (CMS)

콘텐츠 생산 및 관리를 위한 CMS는 콘텐츠를 구성하고 배포하는 데 도움이 됩니다. 효율적인 CMS는 워크플로우 관리, 버전 관리 및 협업을 향상시키며 콘텐츠 효율성을 증가시킵니다.

⑧ 사용자 경험 분석

사용자의 콘텐츠 소비 패턴 및 피드백을 분석하여 콘텐츠를 최적화할 수 있습니다. 사용자 관심사와 취향을 이해하고 개인화된 콘텐츠를 제공함으로써 사용자 만족도를 높입니다.

콘텐츠 최적화 기술은 콘텐츠 생산 과정을 효율적으로 만들고 제공하기 위한 핵심 요소 중 하나입니다. 이러한 기술을 통해 콘텐츠 제작자는 더 나은 사용자 경험을 제공하고, 대역폭 및 에너지 소비를 줄이며 지속 가능한 콘텐츠 생산을 실현할 수 있습니다.

재활용 가능한 하드웨어 및 전자 폐기물 관리:

제조업체는 재활용 가능한 소재로 제작된 하드웨어 및 장비를 사용하고, 제품 수명 주기를 연장하기 위한 정책을 도입하고 있습니다. 또한 전자 폐기물 처리 및 재활용에 대한 규제 및 지침을 준수해야 합니다.

① 재활용 가능한 하드웨어: 지속 가능한 콘텐츠 생산을 위한 첫 번째 기술은 재활용 가능한 하드웨어를 사용하는 것입니다. 컴퓨터, 서버, 네트워크 장비 및 기타 하드웨어는 생산 과정에서 소모되는 자원과 에너지 양을 줄이기 위해 재활용 가능한 소재로 제작될 수 있습니다. 이러한 하드웨어는 더 긴 수명 주기를 가지며 재활용 가능하도록 설계되어야 합니다. 또한 제조업체는 환경에 미치는 영향을 최소화하고 재활용을 촉진하기 위한 디자인을 채택해야 합니다.

② 전자 폐기물 관리: 전자 폐기물은 콘텐츠 제작과정에서 사용되는 컴퓨터, 서버, 모니터 및 기타 전자 장비가 끝나고 버려지는 때 발생합니다. 이러한 전자 폐기물은 환경 오염과 건강 문제를 일으킬 수 있기 때문에 적절한 관리가 필요합니다. 다음은 전자 폐기물 관리에 관한 기술과 정책입니다.

③ 전자 폐기물 수거 및 분류: 전자 폐기물을 수거하고 분류하는 프로세스는 재활용을 위한 첫 번째 단계입니다. 사용되지 않는 하드웨어 및 전자 장비는 재활용을 위해 따로 분류되어야 합니다.

④ 재활용 및 재가공: 전자 폐기물 중 일부 하드웨어 및 부품은 재활용될 수 있습니다. 이러한 재활용은 금속, 플라스틱, 유리 등의 소재로부터 가치 있는 원료를 회수하는 데 도움이 됩니다.

⑤ 환경 친화적인 처분: 사용하지 못하는 하드웨어가 완전히 재활용되지 못할 경우, 친환경적인 방식으로 처분해야 합니다. 이는 폐기물을 땅에 묻거나 해양으로 버리지 않고, 환경 오염을 방지하는 것을 의미합니다.

⑥ 제조업체 책임성: 일부 국가에서는 제조업체에게 자체 제품의 수명 주기 동안 책임을 지도록 하는 확장된 생산자 책임(EPR) 정책을 시행하고 있습니다. 이러한 정책은 제조업체가 제품을 안전하게 처리하고 폐기물을 관리하는 데 참여하도록 강제합니다.

⑦ 정부 규제: 정부는 전자 폐기물 처리에 대한 규제를 강화하고 환경 친화적인 처리 방법을 촉진하는 정책을 도입합니다. 이러한 규제는 제조업체와 소비자에게 전자 폐기물 관리에 대한 역할과 책임을 할당합니다.

재활용 가능한 하드웨어 및 전자 폐기물 관리는 지속 가능한 콘텐츠 생산을 실현하기 위한 중요한 요소 중 하나입니다. 이러한 기술과 정책을 통해 자원의 효율적인 사용과 환경 보호를 동시에 달성할 수 있으며, 콘텐츠 산업이 미래에도 지속 가능하게 발전할 수 있습니다.

지속 가능한 배송 및 유통:

지속 가능한 유통 네트워크를 구축하고, 콘텐츠 배송에 있어 에너지 효율적인 방법을 사용합니다. 디지털 콘텐츠의 경우, 클라우드 서비스 및 CDN (콘텐츠 전송 네트워크)를 최적화하여 최소한의 데이터 센터 전력을 사용하도록 노력합니다.

① 친환경 데이터 센터 및 클라우드 서비스: 지속 가능한 콘텐츠 생산을 위한 첫 번째 기술은 친환경 데이터 센터 및 클라우드 서비스의 사용입니다. 데이터 센터는 대량의 전력을 필요로 하며, 이를 친환경 전력원 (태양광, 풍력 등)을 활용하여 공급함으로써 탄소 발자국을 줄일 수 있습니다. 또한 클라우드 서비스는 리소스 공유 및 가상화를 통해 더 효율적으로 데이터를 저장 및 전송할 수 있도록 도와줍니다.

② 콘텐츠 캐싱 및 CDN (콘텐츠 전송 네트워크): 콘텐츠를 지역화하고 사용자에게 가까운 위치에 저장하는 캐싱 및 CDN 기술은 데이터 전송에 필요한 대역폭을 줄여줍니다. 이로써 콘텐츠 제공 업체는 사용자에게 빠르게 콘텐츠를 제공하고 네트워

크 리소스를 효율적으로 활용할 수 있습니다.

③ 브라우징 최적화: 웹 브라우징을 최적화하는 기술은 사용자가 콘텐츠를 소비할 때 에너지 소비를 최소화합니다. 웹 사이트와 앱은 효율적인 코드 작성, 이미지 압축, 리소스 최적화 및 지연로드 기술을 사용하여 에너지 효율성을 향상시킬 수 있습니다.

④ 효율적인 데이터 압축 및 압축 해제: 데이터 전송 중에 사용되는 데이터 압축 기술은 대역폭을 줄이고 에너지 효율성을 향상시킵니다. 서버에서 클라이언트로 데이터를 보낼 때 효율적인 데이터 압축 및 압축 해제 기술은 더 빠른 데이터 전송과 에너지 절약을 가능하게 합니다.

⑤ 에너지 효율적인 배송 방법: 콘텐츠의 물리적 배송 및 유통 방법도 중요합니다. 에너지 효율적인 운송 수단 및 포장 소재 선택은 배송 및 유통 과정에서 발생하는 환경 영향을 줄이는 데 도움이 됩니다.

⑥ 친환경 라스트 마일 전달 옵션: 마지막 전달 단계에서 친환경 옵션을 활용하는 것도 중요합니다. 전기 자동차 또는 자전거를 사용한 친환경 택배 서비스는 친환경적인 방식으로 콘텐츠를 사용자에게 전달할 수 있는 예입니다.

⑦ 정부 규제 및 인센티브: 정부는 지속 가능한 전달 및 유통을 촉진하기 위해 규제 및 인센티브를 도입하고 있습니다. 친

환경 전력 사용에 대한 세제 혜택이나 친환경 운송 수단 사용을 장려하는 정책 등이 있습니다.

⑧ 환경 친화적인 포장 및 포장재료: 콘텐츠를 전달할 때 사용되는 포장 및 포장재료도 중요합니다. 친환경 포장재료를 사용하고 재사용 가능한 포장 옵션을 제공하여 폐기물을 줄이고 환경에 미치는 영향을 최소화합니다.

이러한 기술과 정책을 통해 지속 가능한 전달 및 유통은 에너지 효율성을 향상시키고 환경 영향을 최소화하면서도 콘텐츠를 사용자에게 효과적으로 전달할 수 있습니다. 이는 지속 가능한 콘텐츠 생산의 핵심 구성 요소 중 하나입니다.

친환경 콘텐츠 제작 정책:

정부 및 산업 단체는 친환경 콘텐츠 제작을 촉진하기 위한 정책을 채택하고 있습니다. 이러한 정책은 에너지 효율을 높이고, 탄소 배출을 줄이며, 재생 가능한 자원 사용을 촉진합니다.

① 에너지 효율성 촉진

에너지 효율성을 촉진하는 정책은 콘텐츠 제작 시설에서 사용되는 전력 및 자원의 효율적인 사용을 독려합니다. 이를 위해 정부는 에너지 효율성을 높이기 위한 측정 및 인센티브를 제공하고, 에너지 효율적인 기술 및 시스템의 도입을 지원합니다.

② 탄소 배출 감소

환경 친화적인 콘텐츠 생산 정책은 탄소 배출을 감소시키는 데 중점을 둡니다. 콘텐츠 제작과 배포 과정에서 발생하는 온실가스 배출을 줄이기 위해 친환경 전력 공급 및 탄소 오프셋 프로그램을 도입할 수 있습니다.

③ 재생 가능한 에너지 사용

정부는 재생 가능한 에너지원을 사용하는 것을 촉진하고, 신재생 에너지 발전을 지원하는 정책을 시행합니다. 콘텐츠 제작 시설이 태양광, 풍력, 수력 등의 재생 가능한 에너지를 사용하도록 유도됩니다.

④ 친환경 소재 사용

콘텐츠 제작 과정에서 친환경적인 소재 및 재활용 가능한 소재의 사용을 촉진합니다. 환경에 미치는 영향을 최소화하고 자원 소비를 줄이기 위해 재활용 가능한 종이, 친환경 프린팅 잉크 등이 사용됩니다.

⑤ 전자 폐기물 관리

전자 폐기물 처리 및 재활용에 관한 정책은 콘텐츠 제작에 사용되는 전자 장비 및 하드웨어의 친환경적인 처분을 독려합니다. 환경에 미치는 부정적인 영향을 최소화하고 재활용을 촉진합니다.

⑥ 지속 가능한 운송 및 배송

친환경 운송 및 배송 옵션을 촉진하는 정책은 콘텐츠의 물리적 전달 과정에서 에너지 효율성을 높이고 환경 영향을 줄입니다. 전기 자동차, 대중 교통, 자전거 등의 친환경 운송 수단을 활용할 수 있습니다.

⑦ 교육 및 인식 증진

교육 및 홍보를 통해 콘텐츠 제작자, 소비자 및 산업 관계자에게 환경 친화적인 콘텐츠 생산의 중요성을 알립니다. 이를 통해 지속 가능한 관행을 채택하고 환경에 대한 인식을 높입니다.

⑧ 규제 및 인센티브

정부는 친환경 콘텐츠 생산을 촉진하기 위해 규제 및 경제적 인센티브를 도입하고 있습니다. 예를 들어, 친환경 에너지 사용에 대한 세제 혜택을 제공하거나 환경 친화적인 제작 관행을 준수하는 기업에 보상을 제공할 수 있습니다.

환경 친화적인 콘텐츠 생산 정책은 콘텐츠 산업이 환경을 보호하고 지속 가능한 방식으로 성장할 수 있도록 돕는 역할을 합니다. 이러한 정책은 콘텐츠 제작자와 소비자 모두에게 환경적 책임을 부여하고 지구 환경을 보호하는 데 기여합니다.

디지털 저작권 및 저작권 보호:

지적 재산 권리 보호는 콘텐츠 제작자와 배포자가 경제적 보상을 받을 수 있도록 하는 데 중요합니다. 이를 통해 콘텐츠 생산에 대한 투자를 유지하고, 지속 가능한 비즈니스 모델을 유지할 수 있습니다.

디지털 저작권 (Digital Copyright): 디지털 저작권은 콘텐츠를 디지털 형식으로 제작하고 배포하는 경우의 저작권 보호를 의미합니다. 디지털 저작물에는 텍스트, 사진, 비디오, 음악, 애니메이션, 소프트웨어 등 다양한 형태의 콘텐츠가 포함됩니다. 이러한 디지털 콘텐츠를 생성하고 보호하는 것은 지속 가능한 콘텐츠 생산의 중요한 부분입니다.

디지털 저작권의 중요성: 디지털 저작권은 다음과 같은 이유로 중요합니다.

① 창작자 보호: 디지털 저작권은 콘텐츠 제작자의 창작물을 보호합니다. 이를 통해 제작자는 자신의 작품에 대한 권리를 주장하고 공정한 보상을 받을 수 있습니다.

② 자본 투자 유치: 콘텐츠 제작은 비용이 많이 드는 작업일 수 있으며, 이를 위해서는 자금과 자본 투자가 필요합니다. 디지털 저작권은 투자자에게 제작된 콘텐츠의 보호를 보장하여 투자를 유치하는 데 도움을 줍니다.

③ 창작 유도: 디지털 저작권은 창작을 유도하고 새로운 아이디어와 콘텐츠를 촉진합니다. 제작자는 자신의 작품에 대한 보호를 확신하고 창의적인 프로젝트를 진행할 수 있습니다.

④ 유통 및 라이선스: 디지털 저작권은 콘텐츠의 합법적인 유통을 조절하며, 라이선스를 통해 다른 사용자가 콘텐츠를 활용할 수 있도록 합니다. 이를 통해 창작자는 자신의 콘텐츠를 수익 창출의 수단으로 활용할 수 있습니다.

디지털 저작권 보호 (Copyright Protection): 디지털 저작권 보호는 디지털 콘텐츠가 불법 복제, 배포 또는 변형으로부터 보호되도록 하는 절차와 정책을 포함합니다. 디지털 콘텐츠의 불법 복제 및 배포는 창작자에게 손실을 야기할 수 있으며, 이를 방지하기 위한 다양한 기술과 정책이 필요합니다.

디지털 저작권 보호의 중요성: 디지털 저작권 보호는 다음과 같은 이유로 중요합니다.

① 불법 복제 및 도용 방지: 디지털 저작권 보호는 불법 복제와 도용을 방지합니다. 디지털 저작물의 무단 복제 및 배포는 창작자에게 손실을 초래하고, 이를 방지하여 창작자의 권리를 보호합니다.

② 디지털 저작물의 무단 유통 방지: 디지털 저작권 보호는 디지털 콘텐츠의 합법적인 유통을 촉진하고, 무단 유통을 방지합니다. 이를 통해 창작자는 콘텐츠의 합법적인 사용을 통해 수익을 창출할 수 있습니다.

③ 디지털 저작물의 무단 수정 방지: 저작권 보호는 디지털 콘텐츠가 무단으로 수정되지 않도록 합니다. 이는 콘텐츠의 원본

이 유지되고 창작자의 의도를 보호하는 데 도움을 줍니다.

④ 합법적인 라이선스 관리: 저작권 보호는 라이선스 및 사용 권한을 관리하고 콘텐츠를 합법적으로 이용하는 사용자에게 접근을 허용합니다.

디지털 저작권과 저작권 보호는 지속 가능한 콘텐츠 생산을 위해 필수적인 기술과 정책 중 하나입니다. 이를 통해 창작자는 공정한 보상을 받을 수 있으며, 콘텐츠의 합법적인 유통과 보호가 보장됩니다.

교육 및 인식 증진:

콘텐츠 제작자와 소비자를 위한 교육 프로그램 및 홍보를 통해 지속 가능한 콘텐츠 생산의 중요성을 강조하고 홍보합니다. 이를 통해 모든 이해 관계자가 더 지속 가능한 선택을 할 수 있도록 돕습니다.

교육 및 인식 촉진의 내용:

① 지속 가능성 개념의 소개: 교육 및 인식 촉진은 지속 가능성 개념을 소개하고 설명합니다. 이는 자원 관리, 에너지 효율성, 환경 보호, 사회적 책임 등과 관련된 주요 개념과 원칙을 이해하는 데 도움을 줍니다.

② 지속 가능한 콘텐츠 생산의 이점 강조: 교육은 지속 가능한 콘텐츠 생산의 이점을 강조합니다. 이로써 제작자와 소비자는

환경 보호, 비용 절감, 시장 경쟁력 향상 등의 이점을 인식하게 됩니다.

③ 환경적 영향 인식: 교육은 콘텐츠 생산과 배포 과정에서 환경에 미치는 영향을 인식시킵니다. 이를 통해 콘텐츠 생산자는 더 친환경적인 방법으로 작업을 수행할 수 있도록 정보를 얻습니다.

④ 재생 가능한 에너지와 에너지 효율성: 교육은 재생 가능한 에너지원과 에너지 효율성의 중요성을 강조합니다. 에너지 효율적인 기술 및 시스템을 도입하여 에너지 소비를 줄이고 탄소 발자국을 최소화하는 방법을 제시합니다.

⑤ 재활용 및 폐기물 관리: 교육은 재활용과 폐기물 관리의 중요성을 강조합니다. 재활용 가능한 자원의 활용과 환경에 해를 끼치지 않는 폐기물 처리 방법을 알리고 장려합니다.

⑥ 규제 및 인센티브 이해: 정부와 산업 단체가 시행하는 규제와 인센티브 프로그램에 대한 이해를 제공합니다. 이를 통해 창작자와 기업은 지속 가능한 관행을 채택하고 규정을 준수하는 데 더 적극적으로 참여할 수 있습니다.

⑦ 소비자 교육: 교육은 소비자에게도 콘텐츠 소비의 환경적 영향을 알리고, 지속 가능한 콘텐츠를 선호하는 데 도움을 줍니다. 환경 친화적인 제품과 서비스를 선택하는 소비자에 대한 정보를 제공합니다.

⑧ 창작자와 소비자 간의 협력 강조: 교육은 창작자와 소비자 간의 협력을 강조합니다. 지속 가능한 콘텐츠 제작 및 소비는 둘 간의 협력을 필요로 하며, 교육을 통해 더 나은 협력이 가능합니다.

교육 및 인식 촉진의 중요성:

교육 및 인식 촉진은 지속 가능한 콘텐츠 생산을 위해 필수적입니다. 이를 통해 콘텐츠 생산자와 소비자는 지속 가능한 관행을 더 적극적으로 수용하고, 지구 환경과 사회에 미치는 영향을 최소화할 수 있습니다. 또한 이를 통해 창작자와 소비자는 보다 책임 있는 역할을 수행하며 지속 가능한 콘텐츠 산업의 성장을 촉진할 수 있습니다.

규제 및 인센티브:

정부는 지속 가능한 콘텐츠 제작을 촉진하기 위해 규제 및 경제적 인센티브를 도입하고 있습니다. 예를 들어, 에너지 효율적인 기술을 사용하거나 탄소 배출을 줄이는 기업에 세제 혜택을 부여할 수 있습니다.

규제 (Regulations):

① 환경 규제: 지속 가능한 콘텐츠 생산을 촉진하기 위해 정부는 환경 규제를 시행합니다. 이러한 규제는 에너지 효율성, 폐기물 처리, 재활용 및 환경 친화적인 생산 관행을 규정합니다. 콘텐츠 생산시 에너지 효율적인 장비를 사용하도록 규정하거나,

친환경 자재 사용을 장려하기 위한 규제도 포함될 수 있습니다.

② 저작권 규제: 콘텐츠의 지적 재산권과 관련된 규제는 디지털 저작물의 불법 복제 및 유포를 방지하고 창작자의 권리를 보호합니다. 규제를 통해 디지털 저작물의 합법적인 사용과 유통이 촉진됩니다.

③ 재활용 규제: 재활용 및 폐기물 처리에 관한 규제는 전자 폐기물 및 사용되지 않는 하드웨어와 관련하여 친환경적인 처리 방법을 규정합니다. 이러한 규제는 환경에 미치는 영향을 최소화하고 재활용을 촉진합니다.

인센티브 (Incentives):

재생 가능한 에너지 인센티브: 정부는 재생 가능한 에너지 사용을 장려하기 위해 세제 혜택이나 보조금을 제공합니다. 콘텐츠 생산 시 친환경 전력을 사용하는 기업에게 경제적 인센티브를 제공하여 에너지 효율성을 높이고 탄소 발자국을 줄이도록 장려합니다.

① 환경 친화적인 기술 개발 지원: 정부와 연구 기관은 환경 친화적인 기술 및 시스템의 개발을 지원하기 위해 연구 자금과 보조금을 제공합니다. 이러한 인센티브는 콘텐츠 생산 관련 기술의 혁신을 촉진하고 에너지 효율성을 향상시킵니다.

② 친환경 제작 관행 인센티브: 기업이 지속 가능한 제작 관행을 채택하는 경우, 세제 혜택이나 보상을 받을 수 있습니다. 이러한 인센티브는 친환경 콘텐츠 생산을 더 많이 채택하도록 장려합니다.

③ 교육 및 인식 증진 인센티브: 정부는 지속 가능한 콘텐츠 생산에 대한 교육과 홍보를 활성화하기 위해 인센티브를 제공합니다. 교육 프로그램을 개발하고 홍보 활동을 수행하는 기업 및 단체에게 경제적 지원을 제공합니다.

④ 지역 사회 발전 인센티브: 콘텐츠 생산이 지역 경제와 사회에 긍정적인 영향을 미칠 경우, 정부는 인센티브를 제공합니다. 이를 통해 콘텐츠 생산자는 지속 가능한 사회적 책임을 수행하고 지역 사회에 기여할 수 있습니다.

규제와 인센티브는 지속 가능한 콘텐츠 생산을 지원하고 환경적, 사회적, 경제적 이점을 실현하기 위한 중요한 정책 도구입니다. 이러한 정책은 콘텐츠 생산자와 산업 관계자에게 지속 가능한 관행을 채택하고 환경과 사회에 미치는 영향을 최소화하도록 도와줍니다.

지속 가능한 콘텐츠 제작을 위한 기술과 정책은 환경 보호와 사회적 책임을 강조하며, 미래에도 콘텐츠 산업이 지속 가능하게 유지되도록 돕는 역할을 합니다. 이러한 노력은 우리의 환경과 미래 세대에 긍정적인 영향을 미칠 것으로 기대됩니다.

5.4 에너지 효율적인 촬영 및 제작 방법

에너지 효율적인 촬영 및 제작 방법은 지속 가능한 콘텐츠 생산을 위한 중요한 부분입니다. 이러한 방법은 콘텐츠 제작 과정에서 에너지 소비를 최소화하고 친환경적인 방식으로 작업을 수행함으로써 환경에 미치는 영향을 줄이는 데 도움을 줍니다. 아래에서는 에너지 효율적인 촬영 및 제작 방법에 대해 상세하고 구체적으로 설명하겠습니다.

LED 조명 사용

전통적인 형광등 대신 LED 조명을 사용합니다. LED 조명은 전력 소비가 적고, 내구성이 좋아서 오랜 시간 동안 사용할 수 있습니다. 또한 색온도와 밝기를 조절하기 쉬워 다양한 조명 효과를 실현할 수 있습니다.

LED 조명의 에너지 효율성:

① 저전력 소비: LED 조명은 전통적인 형광등이나 할로겐 조명에 비해 훨씬 적은 전력을 소비합니다. 이는 에너지 효율성을 높이고 전기 요금을 절감하는 데 도움이 됩니다.

② 낮은 열 발생: LED 조명은 낮은 열을 발생시킵니다. 이로 인해 스튜디오나 촬영장의 냉각 시스템에 필요한 에너지가 감소하고, 냉난방 비용을 절감할 수 있습니다.

③ 장수명 및 유지보수 비용 감소: LED 램프는 오랜 수명을 가지고 있으며, 교체 및 유지보수 비용이 낮습니다. 이로 인해 조명 장비의 교체 주기가 늘어나 에너지 및 자원 소비를 줄일 수 있습니다.

LED 조명의 다양한 적용 분야:

① 스튜디오 촬영: LED 조명은 영화, 드라마, 광고, 박람회 등의 스튜디오 촬영에서 널리 사용됩니다. 다양한 색온도와 밝기 설정으로 다양한 조명 효과를 실현할 수 있어, 촬영 조건에 따라 조명을 조절할 수 있습니다.

② 야외 촬영: LED 조명은 야외 촬영에서도 효과적으로 사용됩니다. 태양광 패널과 결합하여 태양 에너지를 활용하면 외부 촬영 시 에너지 소비를 줄일 수 있습니다.

③ 이벤트 및 무대 조명: 콘서트, 뮤지컬, 무용 공연 등의 이벤트 및 무대 조명에 LED 조명이 널리 사용됩니다. 에너지 효율성과 다양한 라이팅 효과를 제공하여 공연의 품질을 향상시킵니다.

④ 박람회와 전시회: LED 조명은 박람회 부스 및 전시회 부스에서 사용되며, 더 밝고 시각적으로 매력적인 디스플레이를 만들어냅니다.

LED 조명의 환경적 이점:

① 탄소 발자국 감소: 에너지 효율적인 LED 조명은 전력 발전에 필요한 에너지 양을 줄이므로 탄소 발자국을 감소시킵니다.

② 독성 물질 배출 최소화: LED 조명은 수은과 같은 유해 물질을 포함하지 않으며, 폐기물 처리 과정에서 환경에 해를 끼치지 않습니다.

③ 재생 가능한 에너지와 결합 가능: LED 조명은 재생 가능한 에너지원과 결합하여 친환경적인 에너지 소스를 활용할 수 있습니다.

요약하면, LED 조명은 에너지 효율적인 촬영 및 제작 방법의 핵심 요소 중 하나로, 전력 소비를 줄이고 환경에 미치는 영향을 최소화하는 데 큰 역할을 합니다. 이를 통해 지속 가능한 콘텐츠 생산을 실현하고 환경 보호와 에너지 효율성을 동시에 달성할 수 있습니다.

에너지 효율적인 카메라 및 장비 사용

에너지 효율적인 카메라 및 촬영 장비를 선택합니다. 저전력 모드를 사용하거나, 효율적인 배터리 관리 방법을 도입하여 에너지 소비를 최소화합니다.

에너지 효율적인 카메라와 장비의 특징 및 장점:

① 저전력 카메라: 에너지 효율적인 카메라는 저전력 모드나

슬립 모드를 지원하여 촬영 중에도 에너지 소비를 최소화합니다. 이로 인해 배터리 수명이 연장되고, 전력 소비가 감소합니다.

② 고효율 렌즈 및 센서: 카메라 렌즈와 센서의 효율적인 디자인은 더 적은 에너지로 높은 화질과 해상도를 제공합니다. 이는 고품질 콘텐츠 생산에 기여하면서도 에너지 소비를 줄입니다.

③ 효율적인 레코딩 포맷: 일부 카메라는 에너지 소비를 최소화하기 위해 효율적인 비디오 레코딩 포맷을 지원합니다. 이로써 촬영 중에 더 적은 전력이 소비되며 저장 공간을 절약할 수 있습니다.

④ 온보드 에너지 관리: 일부 카메라는 에너지 관리를 위한 내장형 시스템을 탑재하고 있습니다. 이러한 시스템은 에너지 소비를 최적화하고, 배터리 충전 상태를 모니터링하여 에너지를 효율적으로 사용합니다.

⑤ 효율적인 촬영 기술: 카메라 제조사들은 에너지 소비를 줄이기 위한 촬영 기술을 개발하고 있습니다. 예를 들어, 저조도 조건에서도 높은 화질을 유지하는 저조도 성능 향상 기술이 있습니다.

⑥ 태양광 충전 및 재생 가능한 에너지 활용: 에너지 효율적인 카메라 및 장비는 태양광 패널과 결합하여 태양 에너지를 활용

할 수 있습니다. 이를 통해 야외 촬영 시 에너지 소비를 최소화하고 재생 가능한 에너지를 활용합니다.

에너지 효율적인 카메라와 장비의 적용 분야:

① 영화 및 드라마 제작: 큰 스튜디오에서 영화나 드라마를 촬영할 때 에너지 효율적인 카메라와 장비를 사용하여 전력 소비를 최소화하고 냉각 시스템의 부하를 줄일 수 있습니다.

② 비디오 프로덕션: 비디오 프로덕션, 광고 제작 및 웹 콘텐츠 제작과 같은 작은 규모의 프로젝트에서도 에너지 효율적인 카메라를 활용하여 에너지 및 비용을 절감할 수 있습니다.

③ 뉴스 및 방송: 뉴스 촬영 및 방송 프로그램에서 에너지 효율적인 카메라는 모바일 촬영에서도 에너지 소비를 감소시켜 무거운 배터리를 덜 들어야 합니다.

④ 자연 및 환경 다큐멘터리: 자연 및 환경 다큐멘터리 제작 시 에너지 효율적인 카메라를 사용하여 야외에서의 촬영을 지속 가능하게 합니다.

에너지 효율적인 카메라와 장비의 사용은 지속 가능한 콘텐츠 생산을 실현하고, 에너지 소비를 최소화하며, 친환경적인 제작 환경을 조성하는 데 도움을 줍니다. 이를 통해 콘텐츠 제작자는 고품질의 작품을 생산하면서도 환경에 미치는 영향을 최소화할 수 있습니다.

자동화 및 스마트 제어 시스템 활용

촬영 및 조명 제어를 자동화하고 스마트 시스템을 활용하여 에너지 효율성을 높입니다. 이를 통해 불필요한 에너지 소비를 방지하고 최적의 촬영 환경을 조성할 수 있습니다.

자동화 및 스마트 제어 시스템의 특징 및 장점:

① 에너지 소비 최적화: 자동화 및 스마트 제어 시스템은 조명, 열화상 카메라, 냉난방 시스템 및 전력 소비를 제어하는 다른 장비를 모니터링하고 조절합니다. 이를 통해 에너지 소비를 최적화하고 낭비를 방지합니다.

② 스케줄링 및 타이밍: 스마트 제어 시스템은 촬영 및 조명 스케줄을 관리할 수 있습니다. 예를 들어, 필요하지 않은 조명을 자동으로 끄거나, 촬영 일정에 따라 조명을 조절하여 에너지를 절약합니다.

③ 자동화된 냉난방: 스마트 냉난방 시스템은 스튜디오 내 온도를 모니터링하고 자동으로 냉난방을 조절합니다. 이를 통해 에너지 소비를 최소화하고 작업 환경을 편리하게 유지합니다.

④ 원격 모니터링 및 제어: 스마트 제어 시스템은 원격에서 모니터링 및 제어할 수 있습니다. 생산자나 기술진은 스마트폰 또는 컴퓨터를 통해 장비를 조작하고 에너지 소비를 모니터링할 수 있습니다.

⑤ 센서와 자동 조절: 환경 센서를 사용하여 조명 및 냉난방을 자동으로 조절합니다. 스튜디오 내의 조명이 충분하면 자동으로 조명을 어둡게 하고, 열이 높아지면 냉난방을 강화하여 에너지 효율성을 높입니다.

⑥ 에너지 데이터 분석: 스마트 시스템은 에너지 사용에 관한 데이터를 수집하고 분석합니다. 이를 통해 생산 과정에서의 에너지 효율성을 평가하고 개선할 수 있습니다.

자동화 및 스마트 제어 시스템의 적용 분야:

① 스튜디오 촬영: 스튜디오 촬영에서 스마트 제어 시스템은 조명 및 환경 제어를 효율적으로 관리합니다.

② 야외 촬영: 야외 촬영에서도 태양 위치나 날씨에 따라 스마트 시스템이 조명 및 냉난방을 조절하여 에너지를 절약합니다.

③ 이벤트 및 무대 프로덕션: 무대 조명 및 이벤트 제작에서 스마트 제어 시스템은 무대 조명 및 효과를 자동으로 조작합니다.

④ 뉴스 및 방송: 뉴스 촬영 및 방송 스튜디오에서는 스마트 제어 시스템을 사용하여 에너지 효율성을 높이고 환경을 관리합니다.

자동화 및 스마트 제어 시스템은 에너지 효율적인 촬영 및 제작을 실현하고 지속 가능한 콘텐츠 생산 환경을 조성하는 데 큰 역할을 합니다. 이를 통해 생산 비용을 절감하고 환경에 미치는 영향을 최소화할 수 있습니다.

태양광 패널 및 재생 가능한 에너지 사용

촬영장이나 스튜디오에 태양광 패널을 설치하여 재생 가능한 에너지를 활용합니다. 태양광 에너지를 사용하면 전력 비용을 절감하고 친환경적인 에너지를 활용할 수 있습니다.

태양광 패널의 사용:

① 에너지 생성: 태양광 패널은 태양 에너지를 전기로 변환하는 역할을 합니다. 태양광 패널을 설치하면 태양의 빛을 활용하여 전력을 생산할 수 있으며, 이는 촬영 및 제작 과정에서 필요한 에너지를 공급하는 데 사용됩니다.

② 환경 친화적: 태양광 패널은 탄소 배출을 줄이고 환경에 미치는 영향을 최소화합니다. 태양광 발전은 화석 연료를 사용하지 않으며, 대기 중 이산화탄소 (CO_2) 배출을 감소시킵니다.

③ 지속 가능성: 태양광 패널은 재생 가능한 에너지원으로 간주됩니다. 태양 에너지는 무한한 자원으로, 태양이 존재하는 한 지속적으로 이용할 수 있습니다.

재생 가능한 에너지의 활용:

① 풍력 발전: 풍력 발전기를 사용하여 바람 에너지를 전기로 변환할 수 있습니다. 풍력 발전은 지속 가능한 에너지 생산을

위한 대안으로 활용됩니다.

② 수력 발전: 수력 발전은 물의 움직임을 활용하여 전기를 생산하는 방법입니다. 강, 하천 또는 조류 에너지를 활용하여 에너지를 추출합니다.

③ 바이오매스 에너지: 유기 폐기물, 식물 폐기물 및 기타 유기물질을 가공하여 생물 연료 또는 생물 가스를 생산하는 것으로, 재생 가능한 에너지 소스 중 하나입니다.

④ 지열 에너지: 지열 발전은 지구의 열을 활용하여 전기를 생산하는 방법입니다. 지하열 및 지열 온천을 활용하여 에너지를 추출합니다.

재생 가능한 에너지의 적용 분야:

① 스튜디오 및 촬영장: 스튜디오 및 촬영장에서 태양광 패널을 설치하여 에너지를 생산하고 사용할 수 있습니다.

② 야외 촬영: 야외 촬영 중에는 태양광 패널을 이용하여 에너지를 공급할 수 있으며, 휴대용 태양광 충전기 등을 활용하여 모바일 장비를 충전할 수 있습니다.

③ 무대 및 이벤트: 무대 공연 및 이벤트에서는 태양광 패널과 재생 가능한 에너지 소스를 활용하여 조명 및 음향 장비를 작동시킬 수 있습니다.

④ 박람회와 전시회: 박람회 부스 및 전시회 부스에서 태양광

패널과 재생 가능한 에너지를 사용하여 전시 및 홍보 활동을 지원할 수 있습니다.

에너지 효율적인 촬영 및 제작 방법은 지속 가능한 콘텐츠 생산을 실현하고 친환경적인 제작 환경을 조성하는 데 큰 역할을 합니다. 태양광 패널 및 재생 가능한 에너지 소스의 활용은 에너지 소비를 최소화하고 생산 과정을 지속 가능하게 만들어줍니다.

환경 친화적인 소재 사용

친환경적인 소재를 사용하여 세트 및 소품을 제작합니다. 재생 가능한 자원 또는 재활용 가능한 소재를 활용하여 자원 소비를 최소화하고 환경에 미치는 영향을 줄입니다.

환경 친화적인 소재의 특징 및 장점:

① 재생 가능한 자원: 환경 친화적인 소재는 주로 재생 가능한 자원에서 만들어집니다. 이는 자연에서 소모된 자원을 보존하고 새로운 자원을 채취하는 것보다 지구에 부담을 덜 주며, 지속 가능한 자원 관리에 기여합니다.

② 낮은 탄소 발자국: 환경 친화적인 소재는 생산과정에서 낮은 탄소 발자국을 가집니다. 이는 에너지 효율적인 제조 방법과 친환경적인 화학 물질을 사용함으로써 실현됩니다.

③ 재활용 가능성: 많은 환경 친화적인 소재는 재활용이 가능

합니다. 이는 제품 수명이 다한 경우 재활용을 통해 새로운 제품을 만들 수 있으므로 자원을 절약하고 폐기물 양을 줄입니다.

④ 독성 및 유해 물질 제한: 환경 친화적인 소재는 독성 물질이나 유해 물질을 포함하지 않는 경향이 있습니다. 이로 인해 환경 오염 및 건강 문제의 위험이 감소합니다.

환경 친화적인 소재의 적용 분야:

① 세트 및 소품 제작: 영화 및 TV 드라마에서는 환경 친화적인 소재를 사용하여 세트와 소품을 제작합니다. 예를 들어, 재활용 가능한 나무, 친환경 페인트 및 재생 가능한 플라스틱 등이 사용됩니다.

② 의상 및 소품: 배우와 모델의 의상 및 액세서리 제작에서도 친환경적인 소재를 사용합니다. 유기농 원단, 재활용 폴리에스터, 친환경 염료 등이 포함됩니다.

③ 프로퍼티 및 특수 효과: 특수 효과와 프로퍼티 제작에서는 환경 친화적인 소재를 사용하여 거품, 각인체, 모형 및 기타 특수 소재를 제작합니다.

④ 포장 및 스토리지: 친환경 포장 소재 및 스토리지 컨테이너도 촬영 및 제작과정에서 사용됩니다. 종이, 재생 가능한 플라스틱, 친환경 패키징 등이 이에 포함됩니다.

⑤ 촬영장 환경: 촬영장 내 환경 친화적인 소재 및 제품도 사

용됩니다. 친환경 화장실 휴지, 재생 가능한 청소용품 등이 이에 해당합니다.

⑥ 환경 친화적인 소재의 사용은 콘텐츠 제작 업계에서 지속 가능성을 높이고 친환경적인 작업 환경을 조성하는 데 큰 역할을 합니다. 이를 통해 환경 오염을 감소시키고 지속 가능한 미래를 향한 기여를 실현할 수 있습니다.

지속 가능한 운송 및 로케이션 선택

촬영지 및 로케이션을 선택할 때 친환경 운송 수단을 활용하고, 에너지 소비를 최소화하는 지역을 선택합니다. 촬영 장비와 스태프의 이동에 대한 탄소 발자국을 줄일 수 있습니다.

지속 가능한 교통의 특징 및 장점:

① 대중 교통 및 친환경 교통 수단: 대중 교통을 활용하거나 친환경 교통 수단을 사용하는 것은 개별 자동차 사용보다 환경에 미치는 영향을 줄이는 방법 중 하나입니다. 대중 교통은 대부분 전기나 수소 등 친환경 연료로 구동되며, 배출 가스가 적어 에너지 소비를 최소화합니다.

② 공유 교통 수단: 촬영 크루와 배우 사이에서 차량을 공유하는 것은 에너지와 자원을 절약하며, 환경 부담을 줄입니다. 공유 교통 수단을 활용하여 이동하는 것은 환경에 친화적입니다.

③ 전기 자동차 및 하이브리드 차량: 전기 자동차 및 하이브리

드 차량은 저탄소 교통 수단으로 간주됩니다. 이러한 차량은 유해 가스 배출을 줄이고 연료 소비를 절감하여 에너지 효율을 높입니다.

촬영지 선택의 특징 및 장점:

① 지역 재료와 자원 활용: 촬영지 선택 시 주변 지역에서 구할 수 있는 재료와 자원을 활용하는 것이 중요합니다. 이는 자원을 절약하고 운송 비용을 줄이는 데 도움을 줍니다.

② 친환경 촬영지: 친환경 촬영지는 자연 환경을 보호하고 생태계를 해치지 않는 지역을 선택하는 것을 의미합니다. 자연 스케치나 생태계 파괴를 방지하여 지속 가능한 생태계를 유지합니다.

③ 재사용 가능한 장소: 촬영장이나 스튜디오 장소를 재사용하는 것은 건축 자원과 땅의 낭비를 막을 수 있습니다. 기존 건물을 재개발하거나 재사용하여 친환경적인 촬영 환경을 조성할 수 있습니다.

④ 친환경 인프라: 친환경 촬영지는 재생 가능한 에너지 시스템, 폐기물 관리 시설 및 물 리사이클링 시설과 같은 친환경 인프라를 갖추고 있습니다. 이를 통해 환경 부담을 줄이고 지속 가능한 촬영 환경을 제공합니다.

촬영 및 제작에서의 에너지 효율적인 교통 및 촬영지 선택의 적용 분야:

① 촬영 크루 이동: 배우와 스태프의 이동을 대중 교통이나 친환경 교통 수단으로 조정하여 에너지 소비를 최소화합니다.

② 장소 및 세트 건설: 친환경 재료와 자원을 활용하여 세트와 촬영 장소를 구축합니다. 재활용 가능한 소재와 지역 자원을 활용하여 건설 과정에서 자원을 절약합니다.

③ 자연 환경 촬영: 자연환경에서의 촬영을 할 때는 환경 친화적인 접근 방식을 채택합니다. 생태계 파괴를 최소화하고 자연을 보존하는 데 주의를 기울입니다.

④ 인프라 선택: 친환경 촬영 지역과 장소에는 친환경 인프라가 구축되어 있으며, 이를 활용하여 에너지 소비를 최소화합니다.

에너지 효율적인 촬영 및 제작 방법의 일환으로 지속 가능한 교통 및 촬영지 선택은 에너지 효율을 높이고 환경에 미치는 영향을 최소화하는 데 중요한 역할을 합니다. 이를 통해 콘텐츠 제작 업계는 지속 가능한 생산 환경을 구축하고 지구 환경을 보호하는 데 기여할 수 있습니다.

에너지 감축을 위한 제작 일정 관리

효율적인 제작 일정을 관리하여 에너지 소비를 최소화합니다.

불필요한 연장 작업 및 근무 시간을 줄이고 촬영 일정을 최적화합니다.

제작 일정 관리의 특징 및 장점:

① 시간 및 에너지 관리: 제작 일정 관리는 촬영 및 제작 과정을 효율적으로 조절하여 에너지 소비를 최소화합니다. 촬영 기간을 최적화하고 에너지 소모를 효율적으로 분산합니다.

② 조명 및 열화상 카메라 관리: 일정 관리를 통해 조명 및 열화상 카메라를 효과적으로 활용할 수 있습니다. 필요한 경우에만 조명을 사용하고, 카메라를 촬영 대상에 맞게 설정하여 에너지를 절약합니다.

③ 열 관리: 제작 일정을 통한 열 관리는 냉난방 시스템을 효율적으로 활용하는 데 도움이 됩니다. 필요한 경우에만 냉난방을 가동하고, 스튜디오 내 열을 조절하여 에너지 소비를 최소화합니다.

④ 자원 효율성: 일정 관리는 필요한 자원을 정확하게 계획하고 관리함으로써 자원 소비를 줄이는 데 기여합니다. 예를 들어, 촬영 일정에 따라 장비 및 인력을 효율적으로 할당할 수 있습니다.

⑤ 지속 가능한 제작 과정: 일정 관리를 통해 제작 과정이 지속 가능하게 조정됩니다. 에너지 소모가 일관되게 분산되고, 지속 가능한 콘텐츠 제작을 지원합니다.

에너지 효율적인 제작 일정 관리의 적용 분야:

① 촬영 스케줄: 제작 일정을 세밀하게 계획하여 필요한 장소와 장비를 최적화하고 에너지를 효율적으로 활용합니다.

② 조명 스케줄: 조명 스케줄을 관리하여 필요한 조명을 사용할 때만 활성화하고 불필요한 조명 소비를 방지합니다.

③ 열화상 카메라 사용: 열화상 카메라를 사용하는 시점을 조절하여 에너지 소비를 최소화하고 효율적으로 활용합니다.

④ 냉난방 관리: 스튜디오나 촬영 장소의 온도와 냉난방 시스템을 조절하여 열 관리를 효율적으로 수행합니다.

⑤ 자원 할당: 제작 일정 관리를 통해 인력, 장비 및 자원을 효과적으로 할당하여 자원의 낭비를 방지합니다.

⑥ 재활용 가능한 재료 사용: 제작 일정 관리를 통해 재활용 가능한 재료의 사용을 최대화하여 자원 소비를 최소화합니다.

에너지 효율적인 제작 일정 관리는 콘텐츠 제작 업계에서 에너지 소비를 줄이고 지속 가능한 제작 환경을 조성하는 데 중요한 역할을 합니다. 이를 통해 생산 비용을 절감하고 환경 친화적인 제작 환경을 구축할 수 있습니다.

생산팀 교육 및 인식 촉진

생산팀에게 에너지 효율적인 작업 방법과 환경적 영향을 알리는 교육을 제공합니다. 팀원들이 지속 가능한 생산 방식을 이해하고 실천하도록 도와줍니다.

제작 팀 교육의 특징 및 장점:

① 에너지 절감 기술 교육: 제작 팀에게 에너지 효율적인 촬영 및 제작 기술을 교육하는 것은 에너지 소비를 최소화하고 지속 가능한 방식으로 작업하는 데 도움을 줍니다. 이는 친환경 조명, 카메라 설정 및 냉난방 시스템 관리 등을 포함합니다.

② 재활용 및 재생 가능한 자원 교육: 제작 팀에게 재활용 가능한 자원과 재생 가능한 소재의 활용법을 가르치면 자원 관리와 폐기물 감소에 기여합니다.

③ 환경 친화적인 소비 습관 교육: 팀원들에게 환경 친화적인 소비 습관을 가르쳐 에너지 소비를 줄이고 지속 가능한 제작 환경을 조성하는 데 도움을 줍니다.

④ 제작 과정의 친환경 옵션 소개: 친환경적인 장비 및 소재의 사용을 팀에 소개하고 활용 방법을 교육함으로써 에너지 효율성을 향상시킵니다.

환경 인식 증진의 특징 및 장점:

① 환경 영향 인식: 제작 팀에게 자신들의 작업이 환경에 미치는 영향을 이해시키는 것은 친환경적인 선택을 내리는 데 도움이 됩니다. 환경 영향에 대한 인식을 높이면 환경을 보호하고

에너지 절감을 더욱 실천적으로 추진할 수 있습니다.

② 친환경 제작 가치 강조: 환경 인식을 높이고 친환경 제작 가치를 강조함으로써 제작 과정과 결정에 영향을 미칩니다. 팀원들은 환경 친화적인 선택을 더 자주 하고 에너지 효율적인 작업 방식을 적극적으로 채택할 것입니다.

③ 참여와 협력 강조: 팀원들에게 친환경적인 목표 달성에 동참하고 협력하는 중요성을 강조합니다. 팀 전체의 노력을 모아 친환경적인 제작 환경을 조성합니다.

④ 법규 및 규정 준수 교육: 환경 규제 및 법규 준수에 대한 교육을 통해 제작 팀은 환경 친화적인 작업 방식을 채택하고 규정을 준수합니다.

교육과 환경 인식 증진의 적용 분야:

① 팀 교육 세션: 정기적인 교육 세션을 통해 제작 팀에게 에너지 절감 및 환경 친화적인 작업 방식을 교육합니다.

② 환경 보고서: 제작 팀에게 환경 보고서 작성을 요청하여 에너지 소비와 환경 영향을 추적하고 개선점을 찾을 수 있도록 도움을 줍니다.

③ 환경 지향적인 결정: 환경 영향을 고려한 제작 결정을 내리고 에너지 효율성을 향상시키기 위한 노력을 기록합니다.

④ 환경 담당자 지정: 환경 담당자를 지정하여 환경 친화적인

제작 환경을 책임지고 모니터링합니다.

에너지 효율적인 촬영 및 제작 방법에서 제작 팀의 교육과 환경 인식 증진은 중요한 역할을 합니다. 이를 통해 에너지 절감과 지속 가능한 제작을 위한 의식적인 노력을 증진하며, 환경 친화적인 콘텐츠 제작을 실현할 수 있습니다.

디지털 후편집과 스트리밍

디지털 후편집 및 스트리밍을 통해 필름과 액자에 필요한 에너지 및 자원 소비를 줄일 수 있습니다. 디지털 포맷은 필름과 비교하여 에너지 소비가 훨씬 낮습니다.

디지털 후편집의 특징 및 장점:

① 에너지 효율적인 하드웨어 사용: 디지털 후편집은 에너지 효율적인 하드웨어를 사용하여 콘텐츠를 편집합니다. 고성능 그래픽 카드와 다중 코어 프로세서를 활용하여 빠르고 효율적인 편집 프로세스를 구현합니다.

② 비용 절감: 디지털 후편집은 필름 편집에 비해 훨씬 저렴합니다. 필름과 화학 액체 처리 과정을 대체하여 에너지 및 자원 소비를 줄이고 비용을 절감합니다.

③ 원격 협업 및 클라우드 기반 작업: 디지털 후편집은 원격 협업 및 클라우드 기반 작업을 촉진합니다. 이를 통해 지리적으로 떨어진 편집자 및 제작팀은 물리적인 이동 없이 협업할

수 있어 에너지와 시간을 절약합니다.

④ 재사용 및 비파괴성 편집: 디지털 후편집은 콘텐츠의 재사용과 비파괴성 편집을 용이하게 합니다. 이는 콘텐츠를 재활용하여 에너지 및 자원을 절약하고 비파괴성 편집을 통해 원본 자료를 보존합니다.

스트리밍의 특징 및 장점:

① 저 에너지 소비: 스트리밍 서비스는 대량의 데이터를 전송하는 데에도 상대적으로 낮은 에너지를 사용합니다. 전통적인 미디어 배포 방식에 비해 효율적인 전달 방법을 제공합니다.

② 최적화된 압축 및 전송: 스트리밍 플랫폼은 비디오와 오디오 콘텐츠를 최적화된 형식으로 압축하고 전송합니다. 이를 통해 대역폭을 절약하고 에너지 효율성을 높입니다.

③ 원격 엔터테인먼트: 스트리밍은 언제 어디서나 엔터테인먼트에 접근할 수 있도록 합니다. 이로 인해 대중은 불필요한 이동과 에너지 소비를 줄일 수 있습니다.

④ 인터랙티브 콘텐츠 지원: 스트리밍은 인터랙티브 콘텐츠를 지원하며 사용자와 상호 작용할 수 있는 기회를 제공합니다. 이를 통해 사용자 경험을 향상시키고 환경 친화적인 엔터테인먼트 형태를 촉진합니다.

디지털 후편집 및 스트리밍의 적용 분야:

① 영화 및 TV 프로그램 제작: 디지털 후편집은 영화 및 TV 프로그램 제작에서 표준적인 프로세스로 채택되어 에너지 효율성을 향상시킵니다. 스트리밍 서비스는 이러한 콘텐츠를 전 세계로 배포할 때 에너지를 효율적으로 사용합니다.

② 디지털 미디어 아트: 디지털 아트 및 대화식 미디어 프로젝트에서는 디지털 후편집 및 스트리밍을 통해 창의적인 작업이 가능하며 에너지 소비를 최소화할 수 있습니다.

③ 교육 및 엔터테인먼트: 교육 및 엔터테인먼트 분야에서는 디지털 후편집 및 스트리밍을 통해 원격 교육과 엔터테인먼트 콘텐츠를 공급하고 에너지를 절약합니다.

④ 스포츠 중계: 스포츠 중계는 디지털 후편집과 스트리밍을 활용하여 경기를 실시간으로 공개하고 팬과 관중에게 전달하는 데 에너지 효율적인 방법을 제공합니다.

디지털 후편집 및 스트리밍은 콘텐츠 제작 및 배포에서 에너지 효율성을 향상시키고 지속 가능성을 높이는 중요한 기술입니다. 이를 통해 엔터테인먼트 산업은 더욱 친환경적인 방향으로 발전할 수 있으며 에너지 소비를 최소화합니다.

에너지 효율적인 촬영 및 제작 방법은 콘텐츠 생산의 에너지 소비를 최소화하고 환경적 영향을 줄이는 데 도움을 줍니다. 이러한 방법은 콘텐츠 산업이 지속 가능한 방향으로 발전하고 친환경적으로 작업하는 데 중요한 역할을 합니다.

6. 환경 메시지 전달을 위한 콘텐츠 전략

6.1 환경보호와 재생가능에너지에 대한 대중 인식 제고

환경 메시지 전달 전략 중 하나는 환경 보호와 재생 가능한 에너지에 대한 대중의 인식을 높이는 것입니다. 이는 환경 문제의 중요성을 인식하고 지속 가능한 에너지 솔루션에 대한 이해를 촉진하는 데 도움이 됩니다. 아래에서는 환경 보호와 재생 가능한 에너지에 대한 대중 인식을 높이기 위한 전략에 대해 상세히 설명하겠습니다.

교육 및 정보 제공:

대중에게 환경 보호와 재생 가능한 에너지에 대한 정확한 정보를 제공하는 것이 중요합니다. 환경 문제와 재생 가능한 에너지 솔루션에 대한 교육 프로그램을 개발하고 이를 학교, 대학, 커뮤니티 센터, 온라인 플랫폼 등에서 제공합니다.

정보는 간단하고 쉽게 이해할 수 있는 형식으로 제공되어야 합니다. 그림, 차트, 비디오 등 시각적인 자료를 활용하여 설명하면 더 효과적입니다.

① 환경 교육 프로그램 개발

환경 보호와 재생 가능한 에너지에 대한 교육 프로그램을 개발하고 제공함으로써 대중의 인식을 높입니다. 이 프로그램은 학교, 대학, 커뮤니티 센터, 온라인 강의 등 다양한 플랫폼에서 제공될 수 있습니다.

교육 프로그램은 다양한 연령과 교육 수준에 맞춰 설계되어야 하며, 환경 문제와 재생 가능한 에너지 솔루션을 이해하기 쉽게 설명해야 합니다.

② 시각적인 자료 활용

정보를 더욱 이해하기 쉽게 전달하기 위해 그림, 차트, 그래픽, 비디오 등의 시각적인 자료를 활용합니다. 이를 통해 복잡한 환경 문제도 시각적으로 보여줌으로써 대중에게 더욱 명확하게 전달됩니다.

환경 문제와 해결책에 관한 시각적인 자료는 웹사이트, 소셜 미디어, 인쇄물 등에서 활용될 수 있습니다.

③ 정보의 업데이트와 다양한 매체 활용

최신 정보를 제공하고 환경 문제의 진전 상황을 주기적으로 업데이트하는 것이 중요합니다. 대중은 환경 문제에 대한 최신 동향을 알고 싶어합니다.

다양한 매체를 활용하여 정보를 제공합니다. 방송, 온라인 뉴스,

라디오, 소셜 미디어, 포드캐스트, 영화, 신문 등 다양한 매체를 통해 대중에게 다가갑니다.

④ 환경 이슈에 대한 열린 대화 공간 제공

대중이 환경 문제에 대한 의견을 나누고 질문을 제기할 수 있는 열린 대화 공간을 마련합니다. 온라인 포럼, 워크샵, 공개 토론 등을 통해 환경에 대한 대화를 촉진합니다.

대화 공간은 대중의 의견을 듣고 이해하며, 그들의 우려와 관심사에 대한 답변을 제공하는 데 도움을 줍니다.

⑤ 다양한 연령층과 대중을 대상으로한 교육

환경 보호 및 재생 가능한 에너지에 대한 교육은 어린이, 청소년, 성인, 노인 등 모든 연령층과 대중을 대상으로 해야 합니다. 환경 인식은 연령에 관계없이 모두에게 필요한 지식입니다.

다양한 연령층과 대중을 대상으로한 교육은 환경 인식을 확산시키고 지속 가능한 행동을 촉진하는 데 도움을 줍니다.

⑥현지화된 정보 제공

지역 환경 문제와 관련된 정보를 현지화하여 제공합니다. 지역 사회의 관심사와 환경 문제를 연결하여 대중에게 더 가까이 다가갈 수 있습니다.

현지 정보는 대중이 지역에서 적용 가능한 환경 조치를 취하도록 돕습니다.

교육과 정보 제공은 환경 메시지를 전달하고 대중의 환경 인식을 높이는 데 중요한 역할을 합니다. 이러한 노력은 대중의 지식과 의식을 증진시키고 지속 가능한 미래를 위한 긍정적인 변화를 이끌어냅니다.

환경 보호 이벤트 및 캠페인:

지역 사회에서 환경 보호와 재생 가능한 에너지에 대한 이벤트와 캠페인을 주최합니다. 이러한 행사에서 대중은 직접 참여하고 환경 문제와 솔루션에 대한 경험을 얻을 수 있습니다.

환경 보호 이벤트와 캠페인은 재활용 캠페인, 나무 심기 행사, 에너지 절약 챌린지 등 다양한 주제로 구성될 수 있습니다.

① 환경 보호 이벤트와 캠페인의 중요성

직접적인 경험 제공: 이벤트와 캠페인은 대중에게 환경 문제와 재생 가능한 에너지에 대한 직접적인 경험을 제공합니다. 이러한 경험은 추상적인 개념을 현실적이고 체험적으로 이해할 수 있도록 도와줍니다.

참여와 연대감: 이벤트와 캠페인은 대중의 참여와 연대감을 촉진합니다. 대중은 공동의 목표를 위해 함께 노력하고 환경 보호의 중요성을 공유하게 됩니다.

영감과 동기 부여: 성공적인 이벤트와 캠페인은 대중에게 환경

보호에 기여하는 데 동기 부여를 제공하며, 긍정적인 모범 사례와 성과를 보여줌으로써 영감을 줍니다.

② 다양한 종류의 환경 보호 이벤트와 캠페인

재활용 캠페인: 재활용 캠페인은 대중에게 폐기물 관리의 중요성을 강조하고 재활용 습관을 촉진합니다. 커뮤니티에서 재활용 행사를 개최하고 재활용의 경제적 이점을 설명합니다.

나무 심기 이벤트: 나무 심기 이벤트는 지속 가능한 도시 개발을 촉진하고 친환경적인 녹지를 조성합니다. 대중은 직접 나무를 심어 환경 개선에 참여하게 됩니다.

에너지 절약 캠페인: 에너지 절약 캠페인은 대중에게 에너지 소비의 영향을 인식시키고 절약 방법을 교육합니다. 에너지 효율적인 가전제품을 소개하고 절약을 촉진합니다.

환경 클린업 이벤트: 환경 클린업 이벤트는 공공 공간이나 해변에서 쓰레기 수거 활동을 진행합니다. 이를 통해 환경 오염에 대한 인식을 높이고 자연 환경을 보호합니다

재생 가능 에너지 엑스포: 재생 가능 에너지 엑스포는 재생 가능한 에너지 기술과 솔루션을 소개하는 전시회입니다. 대중은 최신 기술을 접하고 친환경적인 선택을 고려할 수 있습니다.

③ 이벤트와 캠페인의 구성 요소

교육과 정보 제공: 이벤트와 캠페인은 환경 문제와 재생 가능

한 에너지에 관한 정보를 제공하고 대중의 이해를 돕습니다. 정보 부스, 워크샵, 패널 토론 등을 포함할 수 있습니다.

참여 기회: 대중은 이벤트 및 캠페인에서 직접 참여할 수 있는 기회를 제공합니다. 나무 심기, 클리닝 활동, 에너지 효율성 대회 등 다양한 참여 기회가 마련됩니다.

예술과 엔터테인먼트: 환경 보호와 재생 가능한 에너지 메시지를 예술과 엔터테인먼트를 통해 전달합니다. 환경 주제의 예술 작품, 음악 공연, 환경 다큐멘터리 상영 등이 포함될 수 있습니다.

모범 사례 공유: 성공 사례와 지속 가능한 프로젝트에 대한 정보를 공유하여 대중에게 영감을 주고 모범 사례를 따라갈 수 있는 방법을 제시합니다.

환경 보호 이벤트와 캠페인은 대중의 환경 보호와 재생 가능한 에너지에 대한 인식을 높이는 강력한 도구로 작용합니다. 이러한 행사와 캠페인을 통해 대중은 환경 문제에 대한 중요성을 이해하고 지속 가능한 미래를 위한 행동을 취할 동기부여를 얻게 됩니다.

대중 매체 활용:

방송, 온라인 뉴스, 소셜 미디어 등 대중 매체를 활용하여 환경 메시지를 전달합니다. 환경 보호 사업과 재생 가능한 에너지 프로젝트의 성과와 혜택을 보도하고 홍보합니다.

환경 이슈에 관한 드라마, 다큐멘터리, 광고, 웹 시리즈 등 다양한 콘텐츠를 제작하여 대중의 관심을 끕니다.

① 텔레비전 및 라디오 프로그램

환경 다큐멘터리: 환경 문제와 재생 가능한 에너지 솔루션에 대한 다큐멘터리를 제작하여 텔레비전 및 라디오에서 방영합니다. 이러한 프로그램은 대중에게 시각적으로 충격적인 환경 현실을 보여주고 해결책을 제시합니다.

환경 교육 프로그램: 주간 라디오 토크쇼나 텔레비전 프로그램을 활용하여 환경 문제에 대한 교육적인 내용을 제공합니다. 전문가와 환경 보호 단체 대표를 초청하여 토론과 패널 토론을 개최합니다.

② 신문 및 온라인 뉴스

환경 보도: 신문과 온라인 뉴스에서 환경 보호와 재생 가능한 에너지에 관한 기사와 보도를 제공합니다. 이러한 기사는 환경 문제와 해결책에 대한 정보를 전달하고 중요한 환경 이슈를 강조합니다.

온라인 블로그 및 소셜 미디어: 온라인 블로그 및 소셜 미디어 플랫폼을 활용하여 환경에 관한 글을 게시하고 환경 관련 이야기를 공유합니다. 해시태그와 공유 기능을 통해 환경 메시지를 확산시킵니다.

③ 광고 및 프로모션

환경 친화적인 제품 및 서비스 광고: 기업과 협력하여 친환경 제품 및 서비스를 홍보하는 광고 캠페인을 실시합니다. 이러한 광고는 대중에게 친환경 솔루션을 제공하고 지속 가능한 소비를 촉진합니다.

환경 이벤트 및 캠페인 프로모션: 환경 이벤트와 캠페인을 홍보하고 대중의 참여를 유도하는 프로모션을 개최합니다. 라디오 광고, 인터넷 배너 광고, 전면광고 등을 통해 주목성을 높입니다.

④ 예술과 엔터테인먼트

환경 주제의 예술 작품: 환경 문제를 다룬 화포, 사진, 예술 전시회를 개최하고 대중에게 예술을 통해 환경 메시지를 전달합니다.

음악 공연과 페스티벌: 환경 주제의 음악 공연과 페스티벌을 개최하여 대중에게 환경 보호의 중요성을 노래와 춤을 통해 전달합니다.

⑤ 환경 주제의 웹사이트 및 애플리케이션

환경 정보 웹사이트: 환경 문제와 재생 가능한 에너지에 대한 정보를 제공하는 웹사이트를 운영합니다. 이러한 웹사이트는 대중이 환경 정보를 쉽게 찾을 수 있는 중요한 자원입니다.

환경 관련 모바일 애플리케이션: 환경 보호와 에너지 절약을 촉진하는 애플리케이션을 개발하고 대중에게 홍보합니다. 에너지 계산기, 재활용 안내, 친환경 교통 옵션 등을 포함할 수 있습니다.

⑥ 공익 광고 및 파트너십

공익 광고 캠페인: 환경 보호와 재생 가능한 에너지에 대한 공익 광고 캠페인을 진행합니다. 이러한 광고는 대중에게 환경 메시지를 강조하고 긍정적인 행동을 유도합니다.

기업 파트너십: 기업과 협력하여 환경 보호와 재생 가능한 에너지 프로젝트를 지원하는 파트너십을 구축합니다. 이러한 파트너십은 자금과 자원을 제공하고 환경 이슈를 공동으로 해결하는 데 기여합니다.

대중 매체를 효과적으로 활용하여 환경 메시지를 전달하고 환경 보호와 재생 가능한 에너지에 대한 대중 인식을 높이는 것은 환경 보호 노력을 지속적으로 강조하고, 지속 가능한 미래를 위한 대중의 참여를 촉진하는 중요한 역할을 합니다.

환경 보호 교육 프로그램 개발:

학교 및 대학에서 환경 보호와 재생 가능한 에너지에 대한 교육 프로그램을 개발하고 학생들에게 제공합니다. 학생들은 환경 문제에 대한 이해와 창의적인 솔루션을 개발할 수 있는 기회를 얻게 됩니다.

환경 보호 교육은 교육 기관의 교육 과정에 통합되어야 합니다.

① 목표 설정

환경 보호 교육 프로그램을 개발하기 전에 목표를 설정합니다. 프로그램의 주요 목적은 무엇인지, 어떤 대상자를 대상으로 할 것인지를 명확하게 정의해야 합니다.

예를 들어, 학생들을 대상으로 환경 보호 교육을 제공하여 지속 가능한 생활 습관을 촉진하거나, 일반 대중을 대상으로 재생 가능한 에너지의 이점을 설명하는 것일 수 있습니다.

② 교육 내용 개발

프로그램의 목표와 대상자에 맞는 교육 내용을 개발합니다. 환경 문제, 재생 가능한 에너지 솔루션, 에너지 절약 방법 등에 대한 정보를 포함해야 합니다.

교육 내용은 정확하고 신뢰할 수 있는 정보를 기반으로 하며, 최신 연구 결과나 사례 연구를 활용하여 업데이트될 수 있어야 합니다.

③ 교육 자료 및 도구 개발

교육 자료와 도구를 개발하여 교육과정을 지원합니다. 이러한 자료는 교과서, 팜플렛, 비디오, 인터랙티브 웹사이트, 시각적 자료 등 다양한 형식으로 제공될 수 있습니다.

시각적 자료나 멀티미디어 자료는 교육을 더 흥미롭게 만들고 이해를 촉진합니다.

④ 교육 방법 선택

교육 방법을 선택하고 프로그램을 전달할 방식을 계획합니다. 이 방법은 대상자의 연령, 교육 수준, 지역적 특성에 맞게 조정되어야 합니다.

교육 방법으로는 강의, 워크샵, 토론, 현장 견학, 시뮬레이션 게임 등 다양한 활동을 활용할 수 있습니다.

⑤ 교육자 및 강사 연수

교육자와 강사를 교육하고 자료를 전달하는 데 필요한 역량을 갖추도록 연수합니다. 교육자는 환경 문제와 재생 가능한 에너지에 대한 전문 지식을 가져야 합니다.

강사 연수는 교육 자료의 효과적인 사용법과 대중과의 상호작용 기술을 강화합니다.

⑥ 평가 및 개선

교육 프로그램을 시행한 후에는 프로그램의 효과를 평가하고 개선 사항을 확인합니다. 대중의 피드백을 수집하고 교육 목표를 달성했는지를 확인합니다.

평가 결과를 바탕으로 교육 내용과 방법을 개선하고 프로그램을 보다 효과적으로 만듭니다.

⑦ 확산과 지속성

교육 프로그램을 확산시키고 지속적으로 제공하기 위한 계획을 수립합니다. 프로그램을 지속 가능한 형태로 유지하고 관련 이해 관계자와 파트너십을 구축합니다.

교육 메시지를 확산하기 위해 대중 매체와 협력하고, 커뮤니티에서 지속 가능한 행동을 촉진합니다.

환경 보호 교육 프로그램은 환경 메시지를 전달하고 대중의 환경 보호 및 재생 가능한 에너지에 대한 인식을 높이는 중요한 도구입니다. 프로그램을 체계적으로 개발하고 지속적으로 제공함으로써 환경 보호와 지속 가능한 미래를 촉진하는데 기여할 수 있습니다.

정부 지원 및 정책 제안:

정부와 관련 기관에게 환경 보호와 재생 가능한 에너지에 대한 정책 제안을 적극적으로 전달합니다. 이러한 정책은 친환경 에너지 및 환경 보호 프로젝트를 지원하고 에너지 효율성을 촉진할 수 있습니다.

정부와 협력하여 환경 규제와 에너지 정책을 개선하는 데 기여합니다.

① 교육 및 정보 제공

환경 보호 교육: 정부는 환경 보호 교육 프로그램을 개발하고 학교, 커뮤니티 센터, 온라인 플랫폼 등에서 제공합니다. 학생들과 일반 대중에게 환경 문제와 재생 가능한 에너지에 대한 이해를 높이기 위한 자원을 제공합니다.

정책 제안 및 업데이트: 정부는 환경 정책을 지속적으로 검토하고 개선합니다. 최신 연구와 데이터를 기반으로 정책 제안을 발표하고, 환경 보호 및 에너지 전환에 대한 정보를 제공합니다.

② 재무 지원 및 인센티브

재생 가능한 에너지 보조금: 정부는 재생 가능한 에너지 프로젝트에 대한 보조금을 제공하여 에너지 전환을 촉진합니다. 태양광 및 풍력 발전소 설치, 에너지 효율 개선 프로젝트 등을 지원합니다.

친환경 차량 인센티브: 친환경 자동차 구매와 사용을 장려하기 위해 정부는 세제 혜택, 보조금, 주차 할인 등 다양한 인센티브를 제공합니다.

③ 환경 인프라 개발

대중 교통 개선: 대중 교통 시스템을 개선하고 대중 교통 이용을 장려하는 정책을 시행합니다. 대중 교통의 편의성과 접근성

을 향상시킵니다.

재생 가능한 에너지 인프라: 정부는 태양광 및 풍력 발전소, 충전 인프라, 에너지 저장 시스템 등 재생 가능한 에너지 인프라를 개발하고 확대합니다.

④ 규제 및 기준 제정

친환경 규제: 정부는 환경에 미치는 영향을 줄이기 위한 엄격한 규제와 표준을 제정하고 시행합니다. 대기 오염 제어, 폐기물 관리, 친환경 건축 규제 등을 강화합니다.

재생 가능 에너지 목표: 정부는 재생 가능한 에너지의 비중을 높이기 위한 목표를 제정하고 발전을 추진합니다. 에너지 전환 계획을 수립하고 실행합니다.

⑤ 지원 및 협력

연구 및 혁신 지원: 환경 및 에너지 관련 연구를 지원하고 혁신을 촉진하기 위한 자금을 제공합니다. 연구 및 개발 활동을 지원하여 친환경 기술과 솔루션을 발전시킵니다.

협력과 다자간 협의: 정부는 국제적인 협력과 다자간 협의를 통해 환경 문제를 공동으로 해결하는 데 기여합니다. 글로벌 환경 정책 및 협력 프로젝트에 참여합니다.

⑥ 홍보 및 캠페인

환경 보호 캠페인: 정부는 환경 보호와 재생 가능한 에너지에 대한 대중 캠페인을 개최하고 홍보합니다. 환경 보호의 중요성과 긍정적인 영향을 강조합니다.

환경 보호 보도: 정부는 환경 보도를 촉진하고 환경 문제에 대한 보도를 지원합니다. 언론과 협력하여 관련 기사를 제작하고 배포합니다.

정부의 지원과 정책 제안은 대중 인식을 높이고 지속 가능한 환경 및 재생 가능한 에너지에 대한 중요성을 강조하는데 필수적입니다. 이러한 노력을 통해 대중은 환경 문제에 대한 인식을 높이고 지속 가능한 행동을 촉진하며, 국가적 차원에서 환경 보호와 에너지 전환을 실현하는데 기여합니다.

대중의 참여 촉진:

환경 보호와 재생 가능한 에너지에 대한 대중의 참여를 촉진하기 위해 워크샵, 워크숍, 토론회 및 커뮤니티 모임을 개최합니다. 대중의 의견을 수렴하고 공동으로 문제를 해결하는 과정에 참여할 수 있도록 돕습니다.

① 환경 보호 활동 참여

환경 클린업 활동: 대중을 환경 클린업 이벤트에 참여하도록 유도합니다. 해변, 공원 또는 도로 청소와 같은 클린업 활동을

조직하고, 대중에게 참여 기회를 제공합니다.

나무 심기 이벤트: 나무 심기 이벤트를 개최하여 대중이 지속 가능한 도시 개발과 녹지 공간 조성에 참여하도록 유도합니다.

② 교육과 교육 활동

환경 보호 교육 프로그램: 대중에게 환경 보호와 재생 가능한 에너지에 관한 교육 프로그램을 제공합니다. 학교, 대학, 커뮤니티 센터에서 교육을 실시하고 환경 보호 워크샵을 개최합니다.

모범 사례 공유: 대중에게 환경 보호 및 에너지 절약에 관한 모범 사례와 경험을 공유하는 기회를 제공합니다. 다른 사람들에게 영감을 주고 지속 가능한 생활 방식을 채택하도록 격려합니다.

③ 시민 참여와 의견 수렴

공공 의견 조사 및 피드백: 정부와 비영리 단체는 대중의 의견을 수렴하고 환경 정책에 대한 피드백을 듣습니다. 시민들의 의견을 존중하고 환경 문제에 대한 대중의 관심을 반영합니다.

시민 단체 및 환경 단체 지원: 시민 활동가 및 환경 단체를 지원하고 협력합니다. 이러한 단체는 대중의 목소리를 대표하고 환경 이슈에 대한 대중의 관심을 증진시키는 역할을 합니다.

④ 기술 및 미디어 활용

소셜 미디어 캠페인: 소셜 미디어 플랫폼을 활용하여 대중에게 환경 메시지를 전달하고 토론을 진행합니다. 해시태그 캠페인, 온라인 토론, 환경 보호 관련 콘텐츠 공유를 통해 참여를 유도합니다.

모바일 애플리케이션: 환경 보호와 재생 가능한 에너지에 관한 정보와 도구를 제공하는 모바일 애플리케이션을 개발하고 대중에게 홍보합니다. 에너지 절약 계산기, 재활용 안내, 지속 가능한 교통 옵션을 포함할 수 있습니다.

⑤ 보상과 인센티브 제공

환경 보상 프로그램: 대중이 지속 가능한 행동을 채택하면 보상을 제공하는 프로그램을 운영합니다. 에너지 절약, 재활용, 친환경 교통 수단 이용과 같은 행동을 인센티브화하여 참여를 유도합니다.

환경 경연 대회: 대중에게 환경과 에너지 관련 경연 대회를 개최하여 참가자에게 상금과 인식을 부여합니다. 이를 통해 창의적인 해결책을 발굴하고 인센티브를 제공합니다.

⑥ 지속적인 피드백과 개선

대중 피드백 수렴: 대중의 의견을 수렴하고 프로그램 및 정책에 대한 피드백을 정기적으로 수렴합니다. 대중의 우려와 의견을 반영하여 조치를 취합니다.

프로그램 개선: 수집된 피드백을 기반으로 환경 보호 및 재생 가능한 에너지 프로그램을 개선하고 적응합니다. 대중의 참여와 관심을 고려한 개선점을 도출합니다.

환경 메시지를 전달하고 대중의 참여를 촉진하는 것은 지속 가능한 미래를 위한 중요한 단계입니다. 대중 참여를 증진시키는 노력은 대중이 환경 보호 및 재생 가능한 에너지에 대한 인식을 높이고, 지속 가능한 행동을 실현하는 데 큰 도움이 됩니다.

모범 사례 공유:

성공적인 환경 보호 및 재생 가능한 에너지 프로젝트의 모범 사례를 공유하고 홍보합니다. 이를 통해 다른 지역 및 조직이 학습하고 유사한 프로젝트를 시작할 수 있습니다.

대중에게 어떻게 개인적으로 에너지를 절약하고 환경을 보호할 수 있는지에 대한 영감을 주는 모범 사례도 공유합니다.

① 사례 연구 및 리서치

환경 보호 및 재생 가능한 에너지 분야에서 성공한 사례 연구를 수행합니다. 이 연구는 어떤 전략과 실행 계획이 효과적이었는지를 분석하고, 어떤 결과를 달성했는지를 평가하는 데 도움이 됩니다.

각각의 사례에서 얻은 정보와 데이터를 수집하여 종합적인 분석을 통해 최고의 사례를 식별합니다.

② 워크샵과 세미나 개최

환경 관련 전문가, 단체, 기업 및 정부 대표를 초청하여 워크샵과 세미나를 개최합니다. 이 자리에서 성공 사례를 발표하고 다른 참가자와 경험을 공유합니다.

참가자들 간의 활발한 토론과 아이디어 교환이 이루어질 수 있도록 유도합니다.

③ 미디어 및 온라인 플랫폼 활용

사례 연구와 성공 사례를 다양한 미디어 채널과 온라인 플랫폼을 통해 공유합니다. 이를 위해 웹사이트, 블로그, 소셜 미디어, 비디오 플랫폼을 활용합니다.

인플루언서 및 온라인 커뮤니티와 협력하여 사례를 홍보하고 더 넓은 대중에게 접근합니다.

④ 학교 및 교육 기관과 협력

학교, 대학 및 교육 기관과 협력하여 환경 보호 및 재생 가능한 에너지에 관한 교육 프로그램을 개설합니다. 이 과정에서 최고의 사례를 사용하여 학생들과 교사들에게 실제 사례를 보여줍니다.

학생들이 연구 프로젝트나 커뮤니티 활동을 통해 환경 보호와 에너지 절약에 기여할 수 있도록 독려합니다.

⑤ 업무 관련 이벤트 및 컨퍼런스 참가

환경 관련 이벤트와 국제 컨퍼런스에 참가하여 최고의 사례를 공유하고 토론에 참여합니다. 이러한 행사는 다양한 국가 및 지역에서 다른 사례를 배울 수 있는 기회를 제공합니다.

현장 견학과 워크샵을 조직하여 다른 조직과의 협력을 촉진하고 실제 환경 보호 프로젝트를 경험하도록 도와줍니다.

⑥ 정부와 협력

정부와 협력하여 환경 보호와 재생 가능한 에너지에 관한 정책과 프로그램을 개발하고 추진합니다. 성공 사례를 제시하여 정책 제안과 실행에 도움이 됩니다.

정부와 협력하여 성공 사례를 공식적으로 인정하고 상장하는 프로그램을 개최합니다.

⑦ 지속적인 피드백과 개선

사례 공유 후, 참여자 및 관심 있는 당사자로부터 피드백을 수집하고 반영합니다. 사례의 성공과 부분적인 성과를 공개하며, 어떻게 더 개선될 수 있는지를 검토합니다.

사례를 실시간으로 업데이트하고 변경 사항을 공유하여 지속적인 관심을 유지하도록 합니다.

최고의 사례를 공유하는 것은 다른 조직과 개인에게 영감을 주고, 환경 보호와 재생 가능한 에너지에 대한 인식을 높이며, 지속 가능한 행동을 촉진하는 데 큰 역할을 합니다. 이러한 노력을 통해 환경 보호와 에너지 전환을 지원하고 긍정적인 영향을 더욱 확대할 수 있습니다.

환경 보호와 재생 가능한 에너지에 대한 대중 인식을 높이기 위해 다양한 전략을 활용하는 것이 중요합니다. 이러한 노력은 대중의 지식과 의식을 증진시키고 지속 가능한 미래를 위한 긍정적인 변화를 이끌어낼 수 있습니다.

6.2 교육적 및 창의적 콘텐츠 개발 방법

환경 메시지를 전달하고 대중의 인식을 높이기 위한 교육적이고 창의적인 콘텐츠를 개발하는 방법에 대해 상세히 설명하겠습니다. 이러한 콘텐츠는 대중의 이해를 촉진하고 긍정적인 환경 행동을 장려하는 데 도움이 됩니다.

목표 설정

콘텐츠를 개발하기 전에 명확한 목표를 설정합니다. 어떤 환경 메시지를 전달하려는지, 어떤 대중을 대상으로 할 것인지, 어떤 변화를 기대하는지를 정의합니다.

예를 들어, 재활용의 중요성을 강조하고 더 많은 사람들이 재활용을 실천하도록 도우려는 목표일 수 있습니다.

① 목표의 명확한 정의

콘텐츠 개발 목표를 명확하게 정의합니다. 어떤 종류의 환경 메시지를 전달하려는지, 누구를 대상으로 하는지 등을 명확하게 이해합니다.

예를 들어, "재활용을 촉진하는 교육 콘텐츠를 개발하여 학생들이 재활용 관행을 채택하도록 도와라"와 같은 구체적인 목표를 설정할 수 있습니다.

② 목표의 측정 가능성

설정한 목표를 측정 가능하게 만듭니다. 목표의 성공을 어떻게 측정할 것인지를 고려합니다.

예를 들어, "콘텐츠를 통해 재활용에 대한 이해도를 측정하여 학생들의 재활용 행동 변화를 추적한다"와 같은 명확한 측정 기준을 정할 수 있습니다.

③ 현실적인 목표 설정

개발할 콘텐츠와 사용 가능한 리소스를 고려하여 목표를 현실적으로 설정합니다. 가능한 시간, 예산 및 인력을 고려합니다.

너무 야심차고 현실적으로 달성하기 어려운 목표를 설정하지 않도록 주의합니다.

④ 목표의 타이밍 및 기한 설정

목표 달성을 위한 타이밍과 기한을 설정합니다. 언제까지 목표를 달성해야 하는지를 명확하게 정합니다.

예를 들어, "3개월 내에 콘텐츠를 개발하고 6개월 내에 학생들의 재활용 행동 변화를 측정한다"와 같은 기한을 설정할 수 있습니다.

⑤ 목표의 중요성과 연계성 파악

목표가 전체 전략과 어떻게 연결되는지를 이해합니다. 콘텐츠 개발 목표가 전체 환경 메시지 전달 전략의 일부로서 어떤 역할을 하는지를 고려합니다.

목표가 전체 목표와 일관성을 유지하고 중요한 역할을 할 수 있도록 계획합니다.

⑥ 피드백 및 조정

목표를 달성하기 위한 계획을 세우고 실행하면서 피드백을 수렴하고 조정합니다. 목표의 진행 상황을 주기적으로 검토하고 필요한 경우 수정합니다.

피드백을 통해 목표의 달성을 지원하고 최적화하는 데 도움이 됩니다.

목표 설정은 교육적이고 창의적인 콘텐츠를 개발하고 환경 메시지를 전달하는 데 중요한 단계입니다. 명확하게 정의된 목표를 통해 콘텐츠 개발 프로세스를 구조화하고 효율적으로 진행할 수 있으며, 콘텐츠의 효과를 측정하고 개선하는 데 도움이 됩니다.

대중 연구

대중의 관심사와 수준을 조사합니다. 대중의 연령, 교육 수준, 관심 분야 등을 고려하여 콘텐츠를 맞춤형으로 제작합니다.

예를 들어, 어린이를 대상으로 하는 환경 교육 콘텐츠는 게임, 카툰 및 간단한 설명을 활용하여 만들어야 할 수 있습니다.

① 대중 연구의 정의

대중 연구란 대상 대중의 관심사, 우려, 지식 수준, 행동 양식 및 환경 관련 이슈에 대한 탐색적인 조사와 조사 결과를 기반으로 콘텐츠를 개발하는 프로세스입니다.

② 대중 연구의 과정

대상 대중 식별: 콘텐츠를 개발할 대상 대중을 식별하고 대중의 특성을 이해합니다. 연령, 성별, 교육 수준, 관심 분야, 지역 등을 파악합니다.

조사 설계: 대중 연구를 위한 조사 설계를 수립합니다. 설문 조사, 인터뷰, 집단 토론 등 다양한 조사 방법을 활용하여 대중의 의견과 관심사를 파악합니다.

조사 진행: 조사를 진행하여 대중의 의견, 지식, 태도 및 행동을 수집합니다. 예를 들어, 환경 보호에 대한 인식과 관심을 조사할 수 있습니다.

데이터 분석: 수집된 데이터를 분석하여 대중의 공통된 패턴과 주요 이슈를 식별합니다. 어떤 종류의 환경 메시지가 필요한지를 파악합니다.

인사이트 도출: 데이터 분석을 기반으로 대중의 우려와 니즈를 이해하고, 어떻게 콘텐츠를 개발하여 이를 충족시킬 수 있는지에 대한 인사이트를 도출합니다.

③ 대중 연구의 활용

콘텐츠 개발: 대중 연구 결과를 기반으로 교육적이며 창의적인 콘텐츠를 개발합니다. 대중의 요구와 관심사에 부합하도록 콘텐츠를 맞춤형으로 제작합니다.

메시지 타겟팅: 대중 연구를 통해 얻은 정보를 활용하여 콘텐츠를 특정 대중에게 맞춤화하고 타겟팅합니다. 예를 들어, 특정 연령대의 환경 관련 이슈에 집중할 수 있습니다.

효과적인 커뮤니케이션: 대중이 이해하고 공감할 수 있는 메시지와 커뮤니케이션 방식을 개발합니다. 대중 연구를 통해 얻은 인사이트를 활용하여 콘텐츠를 설계합니다.

④ 대중 연구의 장점

맞춤형 콘텐츠 개발: 대중 연구를 활용하면 콘텐츠를 대중의 요구와 관심사에 맞추어 개발할 수 있습니다. 이로써 콘텐츠의 효과와 공감도를 높일 수 있습니다.

타겟팅 향상: 대중 연구를 통해 특정 대중을 정확하게 타겟팅할 수 있습니다. 이는 콘텐츠의 전달 효율성을 향상시킵니다.

효과적인 메시지 전달: 대중 연구를 통해 얻은 인사이트를 활용하여 대중이 이해하고 수용하기 쉬운 메시지를 개발할 수 있습니다.

⑤ 대중 연구의 예시

대중 연구를 통해 얻은 결과에 따라 어떤 연령대의 대중이 재활용에 대한 인식 부족을 보이고 있다면, 해당 연령대를 대상으로 한 교육적인 카툰 비디오를 제작할 수 있습니다.

대중 연구 결과에 따라 환경 보호와 관련된 주요 우려를 파악하고, 이에 대한 답변을 제공하는 '환경 Q&A' 웹사이트를 개발할 수 있습니다.

대중 연구를 활용하여 교육적이며 창의적인 환경 콘텐츠를 개발하는 것은 대중의 요구와 관심에 부합하는 콘텐츠를 제작하고 환경 메시지를 효과적으로 전달하는데 도움이 됩니다. 이러한 콘텐츠는 대중의 인식을 높이고 지속 가능한 행동을 촉진하는 데 기여할 수 있습니다.

콘텐츠 형식 및 매체 선택

콘텐츠 형식을 결정합니다. 콘텐츠가 비디오, 웹사이트, 소셜 미디어 게시물, 인터랙티브 웹 애플리케이션 등 어떤 형태로 전달될 것인지를 결정합니다.

적절한 매체를 선택합니다. 대중의 주요 소통 채널과 플랫폼을 고려하여 콘텐츠를 배포합니다.

① 콘텐츠 형식 선택

비디오 및 애니메이션: 환경 이슈에 대한 이해를 높이고 시각적으로 인상적인 경험을 제공할 수 있습니다. 동영상, 애니메이션 및 환경 이슈와 관련된 가상 현실(VR) 콘텐츠를 개발할 수 있습니다.

웹사이트 및 블로그: 자세한 정보와 리소스를 제공하고 대중의 질문에 답하는 플랫폼으로 활용할 수 있습니다. 다양한 환경 주제에 대한 블로그 포스트, 웹사이트 페이지 및 온라인 학습 모듈을 개발합니다.

인터랙티브 애플리케이션: 사용자가 참여하고 상호작용할 수 있는 애플리케이션을 만들어 환경 이슈에 대한 교육 및 인식을 높입니다. 게임, 퀴즈, 시뮬레이션 및 인터랙티브 학습 애플리케이션을 활용합니다.

그래픽 및 포스터: 간단한 메시지와 시각적 자료를 사용하여 환경 메시지를 강조할 수 있습니다. 환경 보호를 장려하는 포스터, 인포그래픽, 차트 및 그림을 디자인합니다.

② 미디어 선택

비디오 스트리밍 플랫폼: YouTube, Vimeo 등의 비디오 스트리밍 플랫폼을 활용하여 환경 교육 비디오 및 동영상 컨텐츠를 게시하고 공유합니다.

소셜 미디어: 페이스북, 인스타그램, 트위터 등의 소셜 미디어 플랫폼을 활용하여 환경 메시지를 홍보하고 공유합니다. 시각적인 콘텐츠는 소셜 미디어에서 효과적으로 공유됩니다.

웹사이트 및 앱: 특정 환경 주제에 대한 웹사이트나 모바일 애플리케이션을 개발하여 교육 콘텐츠를 제공합니다. 이러한 플랫폼은 사용자에게 더 깊이 있는 정보를 제공할 수 있습니다.

전자 메일 뉴스레터: 구독자들에게 정기적으로 환경 메시지를 전달하는 데 사용할 수 있는 전자 메일 뉴스레터를 만듭니다. 뉴스레터는 추가 정보, 업데이트 및 환경 이슈에 대한 통찰력을 제공합니다.

오프라인 미디어: 포스터, 책자, 책 및 전시물과 같은 오프라인 미디어를 활용하여 교육 및 홍보 활동을 진행합니다.

③ 콘텐츠 형식 및 미디어 선택의 고려사항

대중 타겟: 대상 대중의 선호와 행동 양식을 고려하여 콘텐츠 형식을 선택합니다. 어떤 미디어 플랫폼이 대중에게 가장 효과적으로 접근하는지 고려합니다.

메시지 복잡성: 메시지의 복잡성과 내용에 따라 어떤 형식과 미디어가 가장 적합한지를 고려합니다. 더 복잡한 주제는 상세한 웹사이트나 애플리케이션을 통해 설명될 수 있으나 간단한 메시지는 소셜 미디어나 포스터로 전달될 수 있습니다.

예산과 리소스: 콘텐츠 개발에 사용 가능한 예산과 리소스를 고려하여 미디어 선택을 결정합니다. 높은 예산을 가진 경우 비디오나 VR과 같은 더 복잡한 미디어를 활용할 수 있습니다.

대중 참여: 상호작용 및 참여를 촉진하려면 인터랙티브 미디어와 애플리케이션을 사용할 수 있습니다.

효과 측정: 콘텐츠 효과를 측정하고 분석하기 쉽도록 적절한 미디어와 플랫폼을 선택합니다. 사용자 행동을 추적하고 평가할 도구가 필요합니다.

환경 메시지를 효과적으로 전달하려면 대중의 선호와 관심사에 부합하는 콘텐츠 형식과 미디어를 선택하는 것이 중요합니다. 이를 통해 교육적이고 창의적인 콘텐츠를 개발하고 대중에게 효과적으로 전달할 수 있으며, 환경 보호와 관련된 인식을 높이고 지속 가능한 행동을 촉진할 수 있습니다.

스토리텔링과 감정 활용

콘텐츠에 스토리텔링을 적용하여 이야기를 만듭니다. 콘텐츠를 흥미롭고 감동적으로 만들기 위해 캐릭터, 스토리 아크, 갈등 및 해결을 활용합니다.

대중의 감정을 불러일으키세요. 사람들이 감정적으로 연결되면 콘텐츠의 메시지가 더 잘 와닿습니다. 감동적인 순간, 유머, 용기 있는 행동 등을 통해 감정을 다루는 것이 중요합니다.

① 스토리텔링 (Storytelling)

스토리텔링은 메시지를 이해하고 기억하기 쉽게 만듭니다. 이는 환경 메시지를 더욱 효과적으로 전달하는 데 도움이 됩니다.

스토리를 통해 복잡한 환경 문제를 접근 가능하게 만듭니다. 스토리를 통해 대중은 환경 문제의 영향과 해결 방법에 대한 이해를 증가시킬 수 있습니다.

캐릭터와 갈등, 해결책 등 스토리 구성 요소를 활용하여 메시지를 강조합니다. 캐릭터의 경험을 통해 환경 문제와 연결하면 대중은 더 감정적으로 연결될 수 있습니다.

실제 사례나 경험을 기반으로 한 스토리텔링은 신뢰성을 증가시킵니다. 환경 이슈의 영향을 직접 경험한 사람들의 이야기는 다른 사람들에게 영감을 주고 행동을 촉진시킬 수 있습니다.

② 감정적 사용 (Emotional Appeal)

감정적 사용은 대중의 감정을 자극하여 콘텐츠에 대한 관심과 공감을 촉진합니다. 환경 메시지가 무작정 정보 전달보다 감정적으로 호소할 때 대중은 더욱 기억하고 반응합니다.

긍정적 감정 활용: 환경 메시지를 전달하는 데 긍정적인 감정을 활용할 수 있습니다. 희망, 기대, 성취 등의 감정을 강조하여 대중이 지속 가능한 행동을 택하도록 유도할 수 있습니다.

부정적 감정 활용: 반대로 환경 파괴와 관련된 부정적인 감정 (분노, 슬픔, 불안 등)을 활용하여 경각심을 높이고 변화를 도모할 수 있습니다. 부정적인 결과와 연관된 감정은 행동 변화에 영감을 줄 수 있습니다.

사실과 이야기를 결합: 감정적 사용은 사실과 함께 사용될 때 특히 효과적입니다. 환경 문제와 관련된 사실과 통계를 제공하면서도 그에 대한 이야기나 인간적인 요소를 포함하여 감정을 자극합니다.

예시: 환경 파괴의 결과로 동물 서식지가 파괴된다는 사실을 강조할 때, 이에 대한 감정적 반응을 유도하는 감상적인 이미지나 이야기를 제공할 수 있습니다.

스토리텔링과 감정적 사용은 교육적 및 창의적인 콘텐츠를 개발하고 환경 메시지를 전달하는 중요한 요소입니다. 스토리를 통해 메시지를 논리적으로 구조화하고 이야기의 감정적 내용을 강조함으로써 대중은 환경 문제에 대한 관심과 공감을 높일 수 있습니다. 이러한 방법을 통해 대중은 환경 보호에 참여하고 지속 가능한 행동을 실천할 동기를 얻게 됩니다.

시각적 자료 활용

시각적 자료를 활용하여 콘텐츠를 보다 매력적으로 만듭니다. 그래픽, 이미지, 그림, 차트 및 다이어그램을 활용하여 정보를 시각화하고 이해를 돕습니다.

색상과 디자인 원칙을 활용하여 콘텐츠를 효과적으로 구성하세요.

① 정보 시각화 (Information Visualization)

데이터 시각화: 환경 통계, 기후 데이터, 오염 수준 등과 같은 정보를 시각적으로 표현하여 복잡한 데이터를 이해하기 쉽게 만듭니다. 그래프, 차트, 지도 등을 활용하여 데이터를 시각적으로 표현합니다.

인포그래픽 (Infographics): 핵심 정보와 통계를 시각적으로 구성하여 간결하게 전달하는 인포그래픽을 개발합니다. 환경 문제와 관련된 핵심 내용을 강조하는데 사용됩니다.

② 시각적 스토리텔링 (Visual Storytelling)

화면 내용 구성: 이미지, 그래픽, 아이콘, 그림, 사진 등 다양한 시각 자료를 사용하여 콘텐츠를 구성합니다. 각각의 시각 자료는 이야기를 더 흥미롭고 명확하게 전달하는 역할을 합니다.

시각적 플로우: 시각적 요소를 사용하여 이야기의 흐름을 만듭니다. 시각적으로 연결된 스토리텔링을 통해 대중은 콘텐츠에 더 많은 관심을 가질 수 있습니다.

③ 이미지와 아이콘 활용

대중과의 연결: 이미지와 아이콘은 대중이 곧바로 이해하고 공감할 수 있는 수단입니다. 환경 메시지와 관련된 이미지 및 아이콘을 사용하여 메시지를 강조하고 기억에 남게 만듭니다.

역동성과 강조: 이미지와 아이콘은 메시지를 강조하고 역동성

을 추가하는 데 사용됩니다. 사진과 아이콘은 대중의 시선을 집중시키고 관심을 끕니다.

④ 시각적 예시 및 사례 연결

실제 사례와 연계: 환경 메시지를 전달하는 동안 실제 사례와 사례 연계를 통해 대중과 콘텐츠를 연결합니다. 사례 연계를 통해 메시지가 현실적이고 중요하다는 것을 강조합니다.

전환 전 후 시각화: 환경 개선과 변화에 대한 전환 전과 후의 시각 자료를 사용하여 메시지의 효과를 시각적으로 보여줍니다. 이로써 대중은 환경 개선의 중요성을 이해하게 됩니다.

⑤ 시각 자료의 고려사항

대중 타겟: 대상 대중의 관심사와 정보 선호도를 고려하여 시각 자료를 선택합니다. 대중이 쉽게 이해하고 공감할 수 있는 시각 자료를 선택합니다.

메시지 목표: 시각 자료는 메시지의 목표에 부합해야 합니다. 정보 전달, 감정적 호소, 행동 유도 등의 목표를 고려하여 시각 자료를 디자인합니다.

일관성과 강조: 시각 자료는 일관성 있게 디자인되어야 하며 중요한 메시지나 데이터는 강조되어야 합니다.

저작권 및 라이선스: 시각 자료를 사용할 때 관련된 저작권과 라이선스를 준수해야 합니다. 무료 또는 상업적으로 이용 가능

한 자료를 선택합니다.

시각 자료는 환경 메시지를 전달하고 대중의 관심과 공감을 얻는 데 중요한 역할을 합니다. 이러한 자료를 효과적으로 활용하면 환경 문제와 관련된 정보를 명확하게 전달하고 대중의 인식을 높일 수 있습니다.

상호작용과 참여 촉진

콘텐츠에 상호작용 요소를 포함하세요. 퀴즈, 투표, 의견 공유, 미션, 게임 등을 활용하여 대중이 콘텐츠에 참여하도록 유도합니다.

피드백 매커니즘을 도입하여 대중의 참여를 증진하세요.

① 상호 작용 및 참여 촉진 방법

퀴즈와 투표: 콘텐츠 내에 퀴즈나 투표를 포함하여 대중이 참여할 수 있는 기회를 제공합니다. 환경 이슈와 관련된 퀴즈를 통해 지식을 검증하고 의견을 나눌 수 있습니다.

토론 및 댓글: 콘텐츠 하단에 토론 플랫폼이나 댓글 섹션을 제공하여 대중 간에 의견을 교환하고 토론할 수 있는 환경을 조성합니다.

사회 네트워크 공유: 콘텐츠를 소셜 미디어 플랫폼에 쉽게 공유할 수 있는 기능을 추가하여 대중이 콘텐츠를 공유하고 자신의 네트워크와 소통할 수 있도록 합니다.

참여형 캠페인: 대중을 콘텐츠에 참여시키기 위해 환경 보호 캠페인을 조직하거나 지역적인 환경 프로젝트에 참여할 수 있는 기회를 제공합니다.

경쟁 및 보상: 대중 간의 경쟁을 유도하여 참여를 촉진할 수 있습니다. 예를 들어, 환경 이슈와 관련된 창작 과제나 콘테스트를 개최하고 보상을 제공합니다.

② 참여 촉진을 위한 고려 사항

대중 관심사 고려: 콘텐츠와 관련된 주요 대중의 관심사와 우려를 고려하여 참여 기회를 디자인합니다. 대중이 흥미를 가질 만한 주제와 활동을 선택합니다.

소셜 미디어 통합: 소셜 미디어 플랫폼과의 연계를 강화하여 대중이 참여하고 콘텐츠를 공유하기 쉽도록 합니다.

교육적 요소 포함: 참여 기회를 제공하면서 동시에 환경 문제에 대한 교육적인 측면을 강조합니다. 대중이 환경 이슈에 대한 이해를 높일 수 있도록 합니다.

댓글 모니터링: 댓글 및 토론 섹션을 모니터링하여 부적절한 콘텐츠나 근거 없는 정보를 방지하고 환경 메시지 전달의 질을 유지합니다.

보상 및 인센티브: 참여에 대한 보상이나 인센티브를 제공하여 대중을 동기부여합니다. 예를 들어, 참여자에게 기프트 카드나

환경 친화적인 제품을 제공할 수 있습니다.

③ 예시

환경 보호 캠페인을 시작하고 대중을 참여하도록 유도합니다. 대중은 캠페인 웹사이트에서 환경 이슈에 대한 자신의 의견을 공유하고 친환경 행동을 약속할 수 있습니다.

환경 주제 토론 웹사이트를 개설하고 대중이 환경 문제에 관한 의견을 나누도록 허용합니다. 주제별로 토론 패널을 설정하여 다양한 의견을 수용합니다.

환경 보호에 관한 동영상 콘테스트를 개최하고 수상자에게 친환경 상품 또는 장학금을 수여합니다. 대중은 참가하여 환경 주제에 대한 창작물을 제출할 수 있습니다.

환경 교육 애플리케이션을 개발하고 대중이 지속 가능한 라이프스타일을 실천할 수 있는 도구를 제공합니다. 앱은 사용자의 행동을 추적하고 친환경 행동을 장려하는 정보를 제공합니다.

환경 보호 블로그에 게시된 게시물에 댓글 섹션을 추가하여 대중이 의견을 나누고 질문을 던질 수 있도록 합니다.

환경 메시지를 효과적으로 전달하려면 대중의 참여와 상호 작용을 촉진하는 전략을 사용하는 것이 중요합니다. 대중의 참여는 환경 이슈에 대한 인식을 높이고 지속 가능한 행동을 촉진하는 데 필수적입니다.

교육적 요소 추가

콘텐츠에 교육적 내용을 포함하세요. 환경 문제에 대한 기본 개념, 중요성, 해결 방법 등을 설명하고 교육적 가치를 부여합니다.

인터랙티브 퀴즈나 연습 문제를 제공하여 학습을 촉진하세요.

① 정보와 인식 증진 (Information and Awareness Enhancement)

데이터와 통계 제공: 환경 문제에 관한 최신 데이터와 통계를 제공하여 대중의 이해를 높입니다. 예를 들어, 기후 변화에 대한 과학적 증거와 효과를 시각적으로 보여줄 수 있습니다.

기초 지식 전달: 환경 이슈와 관련된 기본 개념과 용어를 설명하여 대중이 주제를 이해하기 쉽게 만듭니다. 환경 보호와 관련된 중요한 용어를 간단하게 정리하고 설명합니다.

문제와 원인 분석: 특정 환경 문제의 원인을 규명하고 그에 대한 해결 방법을 설명합니다. 대중은 문제의 본질을 이해하고 지속 가능한 솔루션을 찾을 수 있게 됩니다.

② 기술 및 혁신 소개 (Introduction to Technology and Innovation)

친환경 기술 소개: 환경 보호를 위한 친환경 기술과 혁신을 소개합니다. 태양 광 발전, 전기 자동차, 재활용 기술 등을 설명하여 대중에게 미래를 위한 기술적 선택지를 제시합니다.

연구 및 과학 프로젝트 소개: 환경 연구 및 과학 프로젝트를 소개하여 대중이 환경 과학에 대한 흥미와 호기심을 유발합니다. 실제 프로젝트에 참여하거나 지원할 수 있는 방법을 제시합니다.

③ 환경 정책 및 규제 이해(Understanding Environmental Policies and Regulations)

환경 규제와 정책 소개: 환경 문제에 대한 국가 및 국제적인 규제와 정책을 설명합니다. 대중은 정부와 단체가 환경 보호를 위해 어떤 조치를 취하고 있는지를 이해하게 됩니다.

지속 가능한 생활 방법: 대중에게 개별적인 환경 보호와 에너지 절약을 위한 라이프스타일 변경 방법을 제안합니다. 생활 속에서 쉽게 적용할 수 있는 환경 친화적인 습관을 소개합니다.

④ 사례 연계와 경험 공유 (Case Studies and Experience Sharing)

실제 사례 연계: 실제 사례를 사용하여 환경 이슈와 관련된 경험을 공유합니다. 성공 사례나 실패 사례를 통해 대중에게 환경 보호의 중요성과 영향을 더 잘 이해시킵니다.

개인 경험 공유: 일상에서 환경을 보호하고 에너지를 절약하는 데 성공한 사람들의 경험을 공유합니다. 대중은 다른 사람의 경험을 통해 실제 행동을 취할 수 있는 영감을 받을 수 있습니다.

⑤ 교육 및 교육 자원 연계(Linkage to Education and Educational Resources)

학습 리소스 제공: 환경 문제와 관련된 추가 학습 자료와 리소스를 제공합니다. 온라인 강좌, 웹사이트, 도서 등을 소개하여 대중이 교육적 자원에 액세스할 수 있도록 합니다.

학교 및 대학 프로그램 연계: 교육 기관과 협력하여 환경 보호 및 지속 가능성을 강조하는 프로그램을 제공합니다. 학교와 대학에서의 환경 교육을 강화합니다.

⑥ 환경 단체 및 봉사 활동 유도(Encouraging Environmental Organizations and Volunteer Activities)

환경 단체 소개: 지역 또는 국제적인 환경 단체를 소개하여 대중이 참여하고 지원할 수 있는 방법을 제공합니다.

환경 봉사 활동 유도: 대중에게 지역 환경 봉사 활동에 참여하도록 권장하고 홍보합니다. 대중은 직접적인 환경 개선 기회를 가질 수 있습니다.

교육적 요소를 추가하여 환경 메시지를 전달하는 콘텐츠는 대중의 이해를 증진시키고 지속 가능한 행동을 촉진하는 데 도움이 됩니다. 대중이 환경 문제와 솔루션에 대한 더 나은 이해를 갖게 되면, 더욱 효과적으로 환경 보호에 기여할 수 있을 것입니다.

테스트와 피드백 수렴

콘텐츠를 대상 대중에게 테스트하고 피드백을 수렴하세요. 사용자의 의견을 듣고 콘텐츠를 개선합니다.

적절한 시기에 수정된 콘텐츠를 발표하여 더 많은 대중에게 전달합니다.

① 프로토타입 및 피드백 세션 (Prototype and Feedback Sessions)

프로토타입 개발: 콘텐츠 개발 초기에 초기 프로토타입을 만듭니다. 이 프로토타입은 콘텐츠의 초안을 포함하며 아직 완성되지 않은 상태입니다.

피드백 세션 개최: 대상 대중 또는 특별한 그룹에 대한 피드백 세션을 개최합니다. 참여자들은 프로토타입을 테스트하고 사용 후 경험을 공유합니다.

피드백 수집: 참여자들의 의견과 피드백을 정기적으로 기록하고 분석합니다. 콘텐츠의 효과성, 유용성, 이해도, 관심도 등을 평가합니다.

개선 및 수정: 수집된 피드백을 바탕으로 콘텐츠를 개선하고 수정합니다. 오류를 보정하고 부족한 부분을 보완합니다.

② 시험 사용자 그룹 (Beta User Groups)

시험 사용자 그룹 구성: 개발 중인 콘텐츠를 특정 사용자 그룹에게 공개합니다. 이 그룹은 다양한 관심사와 백그라운드를 가지고 있어서 다양한 피드백을 제공할 수 있어야 합니다.

실제 사용 시나리오: 사용자 그룹은 실제 환경에서 콘텐츠를 사용하며 다양한 시나리오에서 테스트합니다.

사용자 피드백 수집: 사용자 그룹으로부터 피드백을 수집하고 기록합니다. 사용자 경험, 문제점, 기능 요구 사항 등을 정확히 문서화합니다.

버그 및 문제 보고: 사용자 그룹은 콘텐츠에 발생한 버그, 오류 또는 문제를 보고하도록 장려합니다.

개선 및 최적화: 수집된 피드백을 바탕으로 콘텐츠를 개선하고 최적화합니다. 사용자 요구 사항을 반영하여 콘텐츠를 수정합니다.

③ 사용자 테스팅 및 설문 조사 (User Testing and Surveys)

사용자 테스팅: 콘텐츠를 몇몇 사용자에게 제공하고 그들이 콘텐츠를 사용하며 어떻게 상호 작용하는지 관찰합니다.

설문 조사: 사용자에게 설문 조사를 제공하여 콘텐츠에 대한 의견, 선호도 및 개선 제안을 수집합니다.

사용자 경험 측정: 사용자가 콘텐츠를 사용하는 동안의 경험을 측정하고 분석합니다. 이는 사용자의 만족도와 콘텐츠의 유용성을 평가하는 데 도움이 됩니다.

④ A/B 테스트 (A/B Testing)

A/B 테스트 개요: 두 가지 다른 콘텐츠 버전을 랜덤하게 선택된 사용자 그룹에게 제공합니다. 이를 통해 어떤 콘텐츠가 더 효과적인지 비교합니다.

결과 분석: A/B 테스트 결과를 분석하여 두 버전 중 어느 것이 더 효과적인지를 결정합니다. 예를 들어, 클릭률, 페이지 유지율 및 컨버전율을 비교합니다.

최적화: 더 효과적인 버전을 선택하고 해당 콘텐츠를 최적화합니다. 사용자의 반응을 고려하여 수정사항을 적용합니다.

⑤ 원격 피드백 수집 (Remote Feedback Collection)

온라인 설문 및 토론 포럼: 인터넷을 통해 대중에게 온라인 설문 및 토론 포럼을 제공하여 피드백을 수집합니다.

사용자 제보 및 의견 수용: 웹사이트나 앱 내에서 사용자가 버그나 문제를 제보하고 의견을 제시할 수 있는 기능을 제공합니다.

소셜 미디어 모니터링: 소셜 미디어에서 대중의 의견을 모니터링하고 공개적인 피드백을 수집합니다.

테스트 및 피드백 수집 방법은 콘텐츠를 개발하고 완성하기 위해 필수적입니다. 사용자의 피드백을 수용하고 콘텐츠를 수정하는 과정은 콘텐츠의 품질을 향상시키며 대중의 요구에 부응하는 방식을 찾는 데 도움이 됩니다. 이로써 환경 메시지를 더 효과적으로 전달하고 환경 보호 의식을 높일 수 있습니다.

교육적이고 창의적인 콘텐츠를 개발하는 것은 환경 메시지를 보다 효과적으로 전달하고 대중의 인식을 높이는 중요한 전략입니다. 이러한 콘텐츠를 통해 대중은 환경 보호와 재생 가능한 에너지에 대한 이해를 높이고, 지속 가능한 행동을 실천하게 됩니다.

7. 콘텐츠 산업의 미래 전망

7.1 RE100의 영향을 받은 콘텐츠 산업의 변화와 도전

RE100는 회사들이 100% 재생 가능 에너지를 사용하겠다는 목표를 세우고 이를 실현하는 전략과 노력의 일환으로 환경 지속 가능성을 강조하는 전략 중요한 요소 중 하나입니다. 이것은 콘텐츠 산업에도 영향을 미치고 변화와 도전을 제기하고 있습니다. 아래에서 RE100이 콘텐츠 산업에 미치는 영향과 도전을 상세하게 살펴보겠습니다.

에너지 소비와 친환경 생산

변화: RE100을 채택하는 기업들은 100% 재생 가능 에너지를 사용하도록 약속하고 있으므로 에너지 소비를 지속적으로 모니터링하게 됩니다. 이로써 콘텐츠 제작 및 데이터 센터 운영과 같은 에너지 집중적인 작업에서 친환경 기술과 에너지 절약 방법을 더욱 강조하게 됩니다.

도전: 에너지 전환 및 친환경 인프라 구축에는 초기 투자와 기술 업데이트가 필요하며, 이로 인한 비용 부담이 콘텐츠 산업에 영향을 미칠 수 있습니다. 또한 실제로 100% 재생 가능 에너지로의 전환은 콘텐츠 생산 시간과 비용을 늘릴 수 있습니다.

① 에너지 소비 (Energy Consumption)

에너지 효율성 향상: RE100의 영향으로 콘텐츠 산업은 에너지 소비를 줄이는 방향으로 발전할 것으로 예상됩니다. 이를 위해 에너지 효율적인 하드웨어 및 소프트웨어를 개발하고 도입하여 에너지 비용을 절감하고 친환경적인 운영을 실현할 수 있습니다.

클라우드 컴퓨팅 및 가상화: 클라우드 컴퓨팅 및 가상화 기술은 데이터 센터의 에너지 소비를 최적화하는 데 도움이 됩니다. 콘텐츠 산업은 클라우드 기반의 리소스를 효율적으로 활용하여 에너지 절약과 유연성을 높일 수 있습니다.

지능형 에너지 관리: 에너지 사용량을 모니터링하고 관리하는 지능형 시스템을 도입함으로써 에너지 소비를 최소화할 수 있습니다. 에너지 사용량의 추적 및 최적화를 통해 비용을 절감하고 지속 가능한 운영을 지원할 수 있습니다.

② 친환경 생산 (Eco-friendly Production)

친환경 촬영 및 제작: RE100는 촬영과 제작 단계에서 친환경 기술 및 에너지 소비 감소에 대한 관심을 증가시킵니다. 친환경 조명 시스템, 태양광 패널을 활용한 에너지 공급, 재활용 가능한 세트 디자인 등이 친환경 촬영 및 제작의 예입니다.

친환경 무역 협력: RE100 채택 기업들은 에너지 소비와 생산 과정에서 친환경 무역 협력을 촉진할 가능성이 높습니다. 친환

경 재료 및 장비 공급 업체와의 협력을 통해 친환경 제품 및 서비스를 확장할 수 있습니다.

친환경 스토리텔링: 친환경 생산과 관련된 스토리텔링은 콘텐츠 산업에서 중요한 역할을 합니다. 친환경 가치 및 노력을 강조하는 콘텐츠는 더 많은 관심을 받을 것으로 예상되며, 친환경 메시지를 전달하는 콘텐츠도 늘어날 것입니다.

친환경 인증 및 규정 준수: 친환경 생산을 강조하기 위해 친환경 인증 및 규정 준수가 중요해질 것입니다. RE100와 유사한 환경 인증을 획득하거나 친환경 제작 지침을 따르는 것이 업계 표준이 될 수 있습니다.

RE100의 영향 아래에서 에너지 소비와 친환경 생산은 콘텐츠 산업의 핵심 요소로 부상할 것입니다. 이러한 변화와 도전에 대응하려면 기업은 지속 가능한 에너지 소비와 생산 방법을 채택하고 환경적 영향을 최소화하는 전략을 개발해야 합니다. 이를 통해 친환경적으로 콘텐츠를 생산하고 제공함으로써 환경 보호와 산업의 미래를 구축할 수 있을 것입니다.

환경 메시지 및 콘텐츠 내용

변화: RE100에 영향을 받은 기업들은 친환경 에너지 사용을 강조하며 이에 대한 환경 메시지를 콘텐츠에 포함할 가능성이 높습니다. 콘텐츠 산업은 친환경 주제와 에너지 절약을 다루는 콘텐츠를 개발하고 홍보함으로써 환경 보호를 촉진할 수 있습

니다.

도전: 친환경 콘텐츠 개발은 새로운 아이디어와 창의적인 접근 방식을 요구합니다. 또한, 이러한 메시지가 너무 과장되거나 자본주의적으로 느껴질 경우 대중에게 부정적인 영향을 미칠 수 있습니다.

① 환경 메시지 (Environmental Messages)

친환경 주제의 확대: RE100와 같은 환경 이니셔티브를 채택한 기업들은 환경 보호 및 재생 가능 에너지에 대한 메시지를 강조하게 됩니다. 따라서 콘텐츠 산업에서도 친환경 주제를 다루는 작품 및 캠페인이 더욱 늘어날 것으로 예상됩니다.

사회적 책임 (CSR): 기업들은 환경 메시지를 통해 사회적 책임 (CSR)을 강조하는 경향이 있습니다. 콘텐츠 산업도 사회적 책임을 강조하고 지속 가능한 가치와 비전을 홍보하여 환경 보호의 일부로 인식되고 실천될 것입니다.

친환경 콘텐츠 프로덕션: 콘텐츠 제작 과정에서 친환경성을 강조하는 노력이 늘어날 것입니다. 친환경 제작 기술과 친환경 장비를 도입하여 촬영, 포스트 프로덕션, 그래픽 디자인 등에서 환경에 덜 부담을 주는 방향으로 발전할 것입니다.

② 콘텐츠 내용 (Content Content)

환경 교육 콘텐츠: 환경 메시지를 전달하고 환경 교육을 촉진

하는 콘텐츠의 수요가 증가할 것입니다. 독립 영화, 다큐멘터리, 교육 프로그램 등을 통해 환경 문제에 대한 인식을 높이는 콘텐츠가 생산될 것입니다.

친환경 캐릭터와 스토리텔링: 친환경 캐릭터와 친환경 스토리텔링은 인기를 얻을 것입니다. 이러한 캐릭터와 스토리는 환경 보호 및 재생 가능 에너지에 대한 긍정적인 메시지를 전달하며 어린이와 어른 모두에게 즐거움과 교훈을 제공할 것입니다.

환경 메시지의 다양한 형태: 환경 메시지는 다양한 콘텐츠 형태로 나타날 것입니다. 소셜 미디어 캠페인, 웹 컨텐츠, VR/AR 경험 등을 통해 다양한 시각과 경험을 통해 환경 문제를 다룰 것입니다.

혁신적인 콘텐츠 플랫폼: 새로운 콘텐츠 플랫폼은 환경 메시지 전달에 혁신적인 방식을 제공할 것입니다. 인터랙티브 콘텐츠, 가상 현실 체험, 커뮤니티 기반 콘텐츠 등이 다양한 방식으로 환경 보호와 재생 가능 에너지에 대한 인식을 높일 것입니다.

RE100의 영향으로 콘텐츠 산업은 환경 메시지와 콘텐츠 내용을 더욱 강조하고 환경 보호와 지속 가능성을 촉진하는 방향으로 진화할 것입니다. 콘텐츠 제작자와 소비자는 환경 문제에 대한 책임을 공유하며 미래에는 보다 친환경하고 의미 있는 콘텐츠를 즐길 것으로 기대됩니다.

협력과 파트너십

변화: RE100을 채택한 회사들은 친환경 기술 제공 업체 및 에너지 공급자와 협력 관계를 발전시키는 경향이 있습니다. 이로써 콘텐츠 산업은 친환경 파트너와 협력하여 더욱 지속 가능한 프로덕션을 실현할 수 있습니다.

도전: 파트너와의 협력은 새로운 동맹 및 계약을 필요로 하며, 협상과 관리가 복잡할 수 있습니다. 또한 에너지 공급의 안정성과 신뢰성을 보장하기 위한 효과적인 협력이 중요합니다.

협력과 파트너십의 중요성

RE100 채택한 기업들은 100% 재생 가능 에너지로의 전환을 목표로 하고 있으며, 이를 실현하기 위해서는 에너지 제공 업체와의 긴밀한 협력과 파트너십이 필수적입니다. 이러한 협력과 파트너십은 콘텐츠 산업에도 큰 영향을 미칠 것으로 예상됩니다.

변화와 도전

에너지 공급자와의 협력 강화: 콘텐츠 산업 기업들은 재생 가능 에너지를 공급하는 업체와 더욱 긴밀한 협력을 강화할 필요가 있습니다. 재생 가능 에너지의 안정적인 공급을 보장하고, 그에 따른 에너지 비용을 최소화하기 위한 장기적인 계획을 수립해야 합니다.

에너지 저장 기술의 개발: 에너지 저장 기술은 에너지 공급의 안정성을 보장하는 데 중요한 역할을 합니다. 콘텐츠 산업은 에너지 저장 및 관리 기술을 개발하고 활용하여 에너지 공급의 신뢰성을 높일 수 있습니다.

지역 커뮤니티와의 협력: 콘텐츠 산업은 지역 커뮤니티와의 협력을 강화할 수 있습니다. 재생 가능 에너지 프로젝트와 관련된 지역 커뮤니티에 기여하고, 지역 재생 가능 에너지 인프라를 지원하는 파트너십을 구축할 수 있습니다.

친환경 제작 파트너와의 협력: 에너지 효율적인 제작 방법과 친환경 재료를 사용하기 위해서는 친환경 제작 파트너와의 협력이 필요합니다. 콘텐츠 산업은 친환경 장비 제공 업체와 협력하여 친환경 제작을 강화할 수 있습니다.

파트너십을 통한 환경 메시지 강화: RE100 채택 회사들과의 파트너십은 환경 메시지를 강화하는 데도 도움을 줄 수 있습니다. 공동으로 환경 캠페인을 개최하거나 친환경 콘텐츠를 공동으로 개발하는 등의 활동을 통해 환경 보호 메시지를 보다 강력하게 전달할 수 있습니다.

RE100의 영향으로 인해 에너지 및 환경 관련 파트너와의 협력이 강화될 것으로 예상됩니다. 이러한 협력을 통해 콘텐츠 산업은 친환경 에너지 사용과 환경 보호를 강조하며, 지속 가능한 방향으로 나아갈 것입니다. 더 나아가, 이러한 협력은 환경 메시지와 지속 가능한 가치를 공유하는 다양한 산업과의 협업을 촉진할 것입니다.

소비자 요구와 인식

소비자 수요와 인식 변화

① 친환경 콘텐츠 수요 증가: RE100 채택 기업들이 친환경성을 강조하고 있으므로, 소비자들은 친환경 콘텐츠에 대한 수요가 높아질 것으로 예상됩니다. 친환경 주제의 콘텐츠 및 환경 보호 메시지를 담은 콘텐츠에 대한 관심이 증가할 것입니다.

② 환경 가치에 대한 인식 증가: RE100 및 기타 환경 이니셔티브의 영향으로 소비자들은 환경 가치에 대한 높은 인식을 가질 것입니다. 이러한 인식 변화는 친환경 제작 및 친환경 에너지 사용을 강조하는 콘텐츠에 대한 긍정적인 인식으로 이어질 것입니다.

③ 친환경 라이프스타일과 연계: 소비자들은 자신의 라이프스타일을 보다 친환경적으로 삶으로 변화시키는 데 관심을 가질 것입니다. 이에 따라 친환경 가치와 일치하는 콘텐츠에 대한 수요가 증가할 것이며, 친환경 제품 및 서비스에 대한 소비자들의 선택도 증가할 것입니다.

지속 가능한 브랜드 선호: 소비자들은 지속 가능한 브랜드를 더 선호할 것입니다. RE100 채택 기업들은 친환경 가치와 연결된 브랜드로 인식될 가능성이 높아질 것이며, 이러한 브랜드와 연계된 콘텐츠에 대한 관심이 늘어날 것입니다.

도전과 기회:

① 친환경 콘텐츠 제작 노력: 콘텐츠 제작자들은 친환경 콘텐츠를 제작하는데 노력을 기울여야 합니다. 친환경 주제의 스토리텔링, 환경 메시지를 담은 교육적 콘텐츠, 친환경 가치와 일치하는 캐릭터와 스토리 개발이 필요합니다.

② 홍보와 마케팅 전략 수정: 콘텐츠 산업 기업들은 친환경 가치와 친환경 제작 프로세스를 강조하는 홍보 및 마케팅 전략을 수정해야 합니다. 이를 통해 소비자들에게 친환경 메시지를 효과적으로 전달할 수 있습니다.

③ 다양한 플랫폼 활용: 소비자들은 다양한 콘텐츠 플랫폼을 이용하므로, 친환경 메시지를 다양한 채널을 통해 제공하는 것이 중요합니다. 온라인 동영상 스트리밍, 소셜 미디어, 인터랙티브 콘텐츠 등을 활용하여 친환경 가치를 홍보하는 기회를 활용해야 합니다.

④ 소비자 참여 강화: 소비자들을 친환경 콘텐츠와 환경 보호 활동에 참여하도록 유도하는 방안을 모색해야 합니다. 사용자 참여형 캠페인 또는 친환경 콘텐츠 제작 대회와 같은 활동을 통해 소비자들을 참여시키는 기회를 제공할 수 있습니다.

RE100의 영향 아래에서 소비자 수요와 인식 변화는 콘텐츠 산업에 새로운 도전과 기회를 제공할 것입니다. 기업들은 친환경 가치와 소비자 수요를 조화시키며 지속 가능한 콘텐츠를 개발하고 제공함으로써 미래에 더욱 성공적인 콘텐츠 산업을 구축할 수 있을 것입니다.

RE100과 같은 이니셔티브는 콘텐츠 산업에 친환경과 지속 가능성에 대한 새로운 관심과 요구를 가져올 것으로 예상됩니다. 이러한 변화와 도전에 대응하기 위해서는 새로운 기술, 제작 방법, 협력 관계, 소비자 요구를 고려한 전략을 개발하고 적용해야 합니다. 이는 환경 보호와 지속 가능한 콘텐츠 산업의 미래를 구축하는 데 중요한 요소가 될 것입니다.

7.2 지속 가능한 미래를 위한 콘텐츠 산업의 역할

① 환경 메시지 전달과 교육: 콘텐츠 산업은 환경 문제에 대한 인식을 높이고 환경 보호에 대한 메시지를 대중에게 전달하는 역할을 합니다. 이를 통해 사람들은 환경 문제에 대한 이해를 높이고 지속 가능한 라이프스타일을 채택하도록 영향을 받을 수 있습니다.

② 친환경 제작과 생산: 콘텐츠 제작 단계에서 친환경적인 방식을 도입하고 친환경 재료를 사용함으로써 에너지 소비를 최소화하고 친환경 생산을 실현할 수 있습니다. 환경 친화적인 제작 방식을 통해 탄소 배출을 줄이고 자원을 효율적으로 활용

할 수 있습니다.

③ 재생 가능 에너지 이용: 콘텐츠 산업은 재생 가능 에너지를 적극적으로 활용할 수 있는 업종 중 하나입니다. 에너지 효율적인 데이터 센터 운영, 태양광 패널 설치, 풍력 발전소 지원 등을 통해 친환경 에너지를 사용하여 친환경한 운영을 실현할 수 있습니다.

④ 환경 친화적인 스토리텔링: 콘텐츠 산업은 환경 친화적인 스토리텔링을 통해 환경 메시지를 전달할 수 있습니다. 친환경 주제의 캐릭터, 스토리, 플롯을 통해 환경 보호와 재생 가능 에너지에 대한 긍정적인 가치를 강조할 수 있습니다.

⑤ 혁신적인 플랫폼 개발: 콘텐츠 산업은 다양한 플랫폼을 개발하고 활용할 수 있는 기회를 제공합니다. 가상 현실(VR), 증강 현실(AR), 인터랙티브 미디어 등을 통해 환경 보호와 지속 가능한 에너지 사용에 대한 인식을 높이는 기술을 개발할 수 있습니다.

⑥ 환경 주제의 다양한 콘텐츠: 콘텐츠 산업은 다양한 장르와 형식의 콘텐츠를 개발할 수 있으므로, 환경 주제의 콘텐츠를 다양한 방식으로 제공할 수 있습니다. 다큐멘터리, 교육 프로그램, 온라인 캠페인, 소셜 미디어 콘텐츠 등을 통해 다양한 대중에게 환경 메시지를 전달할 수 있습니다.

⑦ 지속 가능한 비즈니스 모델 개발: 콘텐츠 산업은 지속 가능

한 비즈니스 모델을 개발하고 실현할 수 있는 분야입니다. 친환경 제작과 친환경 에너지 활용을 통해 에너지 비용을 절감하고 환경 친화적인 제품 및 서비스를 제공함으로써 비즈니스의 지속 가능성을 높일 수 있습니다.

콘텐츠 산업은 환경 보호와 지속 가능한 미래를 구축하는 데 중요한 역할을 합니다. 환경 메시지를 효과적으로 전달하고 친환경 제작 및 에너지 사용 방법을 채택함으로써 콘텐츠 산업은 환경에 대한 인식을 높이고 환경 보호를 촉진하는데 기여할 것입니다. 이러한 노력은 미래 세대에 더 나은 환경을 물려주는 데 큰 역할을 할 것으로 기대됩니다.

7.3 콘텐츠산업의 향후전망

① 디지털 플랫폼의 지속적인 성장: 디지털 플랫폼을 통한 콘텐츠 소비는 계속해서 증가할 것으로 예상됩니다. 스트리밍 서비스, 온라인 비디오 게임, 소셜 미디어 등 디지털 콘텐츠 플랫폼은 더 많은 사용자를 유치하고 다양한 콘텐츠를 제공할 것입니다.

② AI 및 VR/AR의 적용 확대: 인공 지능 (AI) 기술을 활용한 콘텐츠 개발과 가상 현실 (VR) 및 증강 현실 (AR) 기술을 활용한 새로운 콘텐츠 경험은 성장할 것으로 예상됩니다. 이러한 기술

들은 콘텐츠의 창의성과 상호 작용성을 향상시킬 것입니다.

③ 지속 가능한 콘텐츠 생산 증가: 환경 보호와 지속 가능성에 대한 인식이 높아짐에 따라, 기업들은 친환경적인 콘텐츠 제작 및 배급에 더 많은 노력을 기울일 것입니다. 재생 가능 에너지, 친환경 재료, 친환경 제작 방법 등을 활용한 콘텐츠 생산이 늘어날 것으로 예상됩니다.

④ 글로벌 시장 확대: 콘텐츠 산업은 국제적인 시장으로 확장할 것으로 예상됩니다. 국내 콘텐츠 기업들은 해외 시장으로 진출하고 다양한 언어와 문화에 맞는 콘텐츠를 개발할 것입니다.

⑤ 개인화 및 인터랙티브 경험 강화: 사용자들은 개인화된 콘텐츠 경험을 선호하며, 기술의 발전을 통해 콘텐츠 개인화 및 상호 작용성이 높아질 것으로 예상됩니다. 사용자가 콘텐츠의 스토리나 경험을 조작하고 개인 취향에 맞게 콘텐츠를 소비하는 능력이 강화될 것입니다.

⑥ 비디오 게임 및 e스포츠의 부상: 비디오 게임 산업과 전자 스포츠 (e스포츠)는 지속적인 성장을 이어갈 것으로 예상됩니다. e스포츠 대회 및 이벤트는 미디어에서 큰 관심을 받으며, 게임 개발 및 스트리밍 플랫폼은 계속해서 발전할 것입니다.

⑦ 5G와 연동된 미디어 혁신: 5G 네트워크의 보급 확대로 미디어 산업은 높은 대역폭과 낮은 지연 시간을 활용하여 더욱 혁

신적인 콘텐츠 제작 및 전달을 할 수 있을 것입니다. 이로 인해 고화질 비디오 스트리밍, 가상 현실 경험, 원격 작업 및 협업이 더욱 발전할 것으로 기대됩니다.

⑧ 데이터 기반 콘텐츠 개발: 사용자 데이터 수집 및 분석을 통해 콘텐츠 기업들은 더욱 정확한 사용자 프로필 및 소비 패턴을 파악할 수 있을 것입니다. 이를 기반으로 콘텐츠를 맞춤화하고 효과적으로 마케팅할 수 있을 것입니다.

⑨ 교육 및 훈련 분야 확대: 온라인 교육 및 교육용 콘텐츠는 지속적인 성장을 이어갈 것으로 예상됩니다. 특히 코로나-19 대유행 이후 원격 교육 및 온라인 학습 플랫폼에 대한 수요가 높아지면서 교육 콘텐츠 시장이 확대될 것입니다.

이러한 전망을 토대로 콘텐츠 산업은 기술 혁신, 지속 가능성, 글로벌 시장 진출 등을 통해 다양한 기회를 모색하고 미래에 걸쳐 성장할 것으로 예상됩니다.

8. 부록

8.1 RE100에 참여한 콘텐츠 기업의 사례와 RE100 관련 정책 및 규제, 법률 등을 소개

<기본적인 규제, 법률>

① 온실 가스 감축 규제: 다양한 국가와 지역에서 온실 가스 감축을 목표로 하는 법률과 규제가 시행되고 있습니다. 기업들은 온실 가스 배출을 제한하고 줄이기 위한 정책을 준수하고 있으며, 친환경 기술 및 에너지 효율성을 높이는 프로젝트를 추진하고 있습니다.

② 재생 가능 에너지 지원: 많은 국가에서 재생 가능 에너지 발전을 촉진하기 위한 정책과 재무 지원이 제공됩니다. 기업들은 재생 가능 에너지를 구매하거나 자체 에너지 발전 시설을 구축하여 친환경적인 전력 소비를 촉진하고 있습니다.

③ 친환경 콘텐츠 규제: 일부 국가에서는 친환경 콘텐츠 제작과 배급을 촉진하기 위한 규제가 시행되고 있습니다. 콘텐츠 기업들은 친환경 콘텐츠 제작과 환경 메시지를 포함한 콘텐츠를 개발하고 있습니다.

④ 에너지 효율성 표준: 다양한 산업 분야에서 에너지 효율성을 향상시키기 위한 표준 및 규제가 존재합니다. 콘텐츠 기업들은 스튜디오 운영 및 데이터 센터 관리에서 에너지 효율성을

높이기 위한 조치를 취하고 있습니다.

RE100 및 관련 정책 및 법률에 참여한 콘텐츠 기업들의 예시를 설명하겠습니다.

< 글로벌 기업 >

Apple Inc. (애플):

RE100 참여: 애플은 2013년부터 RE100 이니셔티브에 참여하였습니다. 회사는 모든 오퍼레이션 및 공급망에서 100% 재생 가능 에너지를 사용하기 위한 목표를 설정하였습니다.

환경 정책 및 법률: 애플은 친환경 제품 디자인, 재활용 가능한 소재 사용, 에너지 효율성 향상 등을 위한 정책을 적극적으로 시행하고 있습니다. 또한 미국 및 다른 국가에서의 환경 보호 법률을 준수하며 환경에 대한 긍정적인 영향을 미치는 노력을 기울이고 있습니다.

Google (구글):

RE100 참여: 구글은 2017년 RE100 이니셔티브에 참여하였으며, 2017년부터 회사의 모든 운영에 대한 100% 재생 가능 에너지 사용을 달성하였습니다.

환경 정책 및 법률: 구글은 에너지 효율성 향상과 재생 가능 에너지 투자를 촉진하기 위한 정책을 수립하였습니다. 또한 전

세계적으로 환경에 대한 정책 및 법률을 준수하며 친환경 미션에 노력을 기울이고 있습니다.

Netflix (넷플릭스):

RE100 참여: 넷플릭스는 2020년 RE100 이니셔티브에 가입하였으며, 기업 운영과 콘텐츠 제작에 사용되는 에너지에 대한 재생 가능 에너지 사용을 촉진하고 있습니다.

환경 정책 및 법률: 넷플릭스는 친환경 에너지 구매 및 에너지 효율적인 데이터 센터 운영과 같은 환경 관련 정책을 시행하고 있습니다. 또한 다양한 국가에서의 환경 보호 및 에너지 관련 법률을 준수하며 환경 보호에 기여하고 있습니다.

폭스콘 (Foxconn Technology Group, 현황: 하이펙스):

RE100 참여: 폭스콘은 RE100 이니셔티브에 참여하여 2030년까지 모든 운영 지역에서 100% 재생 가능 에너지를 사용하겠다고 발표하였습니다.

환경 정책 및 법률: 폭스콘은 환경 보호 및 에너지 절약을 위한 정책을 시행하고 있으며, 국제적으로 환경 관련 법률 및 규제를 준수하고 지속 가능한 미래를 위해 노력하고 있습니다.

페이스북 (Meta Platforms, Inc., 현황: 메타):

RE100 참여: 페이스북은 2020년 RE100에 가입하였으며, 회사의 전 세계 데이터 센터와 오퍼레이션에 100% 재생 가능 에너지를 도입하는 계획을 세우고 있습니다.

환경 정책 및 법률: 페이스북은 재생 가능 에너지 투자 및 에너지 효율성을 향상시키는 노력을 지속적으로 기울이고 있으며, 환경에 대한 긍정적인 영향을 미치기 위해 환경 정책을 개선하고 있습니다.

Microsoft (마이크로소프트):

RE100 참여: 마이크로소프트는 2012년부터 RE100에 가입하였으며, 2025년까지 기업의 모든 운영을 100% 재생 가능 에너지로 전환할 계획입니다.

환경 정책 및 법률: 마이크로소프트는 환경 보호와 친환경 에너지 사용을 촉진하기 위한 다양한 정책을 시행하고 있으며, 국제적인 환경 규제 및 법률을 준수하고 있습니다.

Amazon (아마존):

RE100 참여: 아마존은 2019년 RE100에 가입하였으며, 2030년까지 기업의 모든 운영을 100% 재생 가능 에너지로 전환할 목표를 설정하였습니다.

환경 정책 및 법률: 아마존은 에너지 효율성 향상과 재생 가능 에너지 투자를 촉진하는 정책을 시행하고 있으며, 환경에 대한 긍정적인 영향을 미치기 위해 환경 정책을 개선하고 있습니다.

IKEA (이케아):

RE100 참여: 이케아는 2015년 RE100에 가입하였으며, 회사의 운영과 생산을 위한 재생 가능 에너지 사용을 확대하고 있습니다.

환경 정책 및 법률: 이케아는 친환경 제품 및 패키지 개발을 통해 환경에 대한 민감성을 나타내고 있으며, 환경 관련 법률을 준수하고 환경 보호를 촉진하는데 기여하고 있습니다.

팬더 (Pandora):

RE100 참여: 팬더는 2020년 RE100에 가입하였으며, 회사의 모든 운영과 생산에 대한 재생 가능 에너지 사용을 확대하는 방안을 추진하고 있습니다.

환경 정책 및 법률: 팬더는 지속 가능한 재료 사용과 친환경 제품 제작을 촉진하기 위한 정책을 시행하고 있으며, 환경 보호를 위한 국제 규제를 준수하고 있습니다.

로열 더치 쉘 (Royal Dutch Shell, 현황: 쉘):

RE100 참여: 쉘은 2021년 RE100에 가입하였으며, 기업의 에너지 사용을 지속적으로 재생 가능 에너지로 전환하고 있습니다.

환경 정책 및 법률: 쉘은 환경 보호와 에너지 효율성 향상을 위한 정책을 시행하고 있으며, 국제 환경 규제 및 에너지 정책을 준수하고 지속 가능한 미래를 위해 노력하고 있습니다.

바스프 (BASF):

RE100 참여: 바스프는 2020년 RE100에 가입하였으며, 에너지 효율성을 향상시키고 재생 가능 에너지 사용을 확대하는 계획을 추진하고 있습니다.

환경 정책 및 법률: 바스프는 환경 보호와 환경 친화적인 제품 개발을 위한 정책을 시행하고 있으며, 국제적인 환경 규제 및 법률을 준수하고 환경 보호를 촉진하는 역할을 하고 있습니다.

베이컨티 (Becton, Dickinson and Company, 현황: BD):

RE100 참여: BD는 2019년 RE100에 가입하였으며, 재생 가능 에너지 사용을 확대하고 탄소 배출을 줄이는 노력을 기울이고 있습니다.

환경 정책 및 법률: BD는 환경 친화적인 제품 개발 및 친환경 생산 프로세스 도입을 위한 정책을 시행하고 있으며, 환경 보호와 관련된 국제적인 규제를 준수하고 있습니다.

세인즈버리 (Saint-Gobain):

RE100 참여: 세인즈버리는 2015년 RE100에 가입하였으며, 재생 가능 에너지 사용을 늘리고 에너지 효율성을 향상시키는 노력을 기울이고 있습니다.

환경 정책 및 법률: 세인즈버리는 환경 보호와 친환경 제품 개발을 위한 정책을 적극적으로 추진하고 있으며, 환경 관련 법

률을 준수하고 지속 가능한 경영을 실현하고 있습니다.

클린트업 (CleanTech Group):

RE100 참여: 클린트업은 클린 에너지와 환경 기술 분야의 리더로서 RE100에 가입하였으며, 친환경 기술과 에너지 효율성을 촉진하고 있습니다.

환경 정책 및 법률: 클린트업은 친환경 기술 개발과 에너지 혁신을 지원하기 위한 정책을 추진하고 있으며, 국제적인 친환경 에너지 정책과 규제를 활발하게 지지하고 있습니다.

< 국내 기업 >

CJ ENM (CJ Entertainment and Merchandising):

RE100 참여: CJ ENM은 2021년 RE100에 가입하여, 회사의 에너지 소비를 100% 재생 가능 에너지로 전환하기 위한 목표를 세웠습니다. 이를 통해 스튜디오 운영 및 방송 활동에서 재생 가능 에너지 사용을 확대하고 있습니다.

환경 정책 및 법률: CJ ENM은 재생 가능 에너지 구매, 에너지 효율성 향상, 탄소 중립을 위한 다양한 환경 정책을 시행하고 있으며, 국내 환경 보호 법률 및 규제를 준수하고 있습니다. 또한 친환경 제품 제작과 환경 교육을 통해 환경 보호를 촉진하고 있습니다.

넷마블 (Netmarble):

RE100 참여: 넷마블은 RE100 이니셔티브에 참여하여 회사의 데이터 센터와 오피스 에너지 사용을 100% 재생 가능 에너지로 전환하기 위한 계획을 수립하였습니다.

환경 정책 및 법률: 넷마블은 탄소 중립을 위한 환경 정책과 에너지 효율성 향상을 위한 노력을 기울이고 있으며, 국내 환경 관련 법률 및 규제를 준수하고 지속 가능한 에너지 사용을 촉진하고 있습니다. 또한 친환경 게임 개발과 환경 보호 캠페인을 통해 환경 보호 활동에 기여하고 있습니다.

NCSOFT (엔씨소프트):

RE100 참여: NCSOFT는 RE100 이니셔티브에 가입하여 회사의 데이터 센터와 게임 개발 스튜디오 에너지 사용을 재생 가능 에너지로 전환하기 위한 계획을 추진하고 있습니다.

환경 정책 및 법률: NCSOFT는 환경 친화적인 게임 개발 및 서비스를 제공하고, 에너지 효율성을 높이는 정책을 수립하여 환경에 대한 민감성을 나타내고 있습니다. 국내 환경 보호 법률 및 규제를 준수하며 환경 보호를 위한 활동을 지속적으로 실천하고 있습니다.

SK텔레콤 (SK Telecom):

RE100 참여: SK텔레콤은 RE100 이니셔티브에 가입하여, 재생

가능 에너지 사용을 증가시키고 친환경 네트워크 인프라를 구축하는 데 노력하고 있습니다.

환경 정책 및 법률: SK텔레콤은 탄소 중립을 위한 환경 정책과 에너지 효율성 증진을 위한 다양한 프로젝트를 추진하며, 국내 환경 관련 법률 및 규제를 준수하고 환경 보호를 촉진하고 있습니다.

포스코인터내셔널 (POSCO International):

RE100 참여: 포스코인터내셔널은 RE100에 가입하여, 재생 가능 에너지를 활용하여 글로벌 업무를 수행하고 있으며, 탄소 중립을 추구하고 있습니다.

환경 정책 및 법률: 포스코인터내셔널은 환경 친화적인 자원 개발과 친환경 에너지 활용을 통해 환경 보호에 기여하고 있으며, 국제 환경 규제 및 법률을 준수하고 있습니다.

기아자동차 (Kia Corporation):

RE100 참여: 기아자동차는 RE100 이니셔티브에 가입하여, 재생 가능 에너지를 활용하여 자동차 제조에 친환경적인 접근을 적극적으로 추진하고 있습니다.

환경 정책 및 법률: 기아자동차는 친환경 자동차 기술 개발과 환경 친화적인 생산을 위한 노력을 기울이고 있으며, 국내외 환경 관련 법률 및 규제를 준수하고 친환경 자동차 시장을 선

도하고 있습니다.

LG생활건강 (LG Household & Health Care):

RE100 참여: LG생활건강은 RE100 이니셔티브에 가입하여, 생산 및 운영에 재생 가능 에너지를 적극 도입하고 있으며, 환경 친화적인 제품 개발에 노력하고 있습니다.

환경 정책 및 법률: LG생활건강은 친환경 제품과 생산 프로세스를 개선하는 정책을 시행하고 있으며, 환경 보호와 관련된 국내외 법률 및 규제를 준수하고 있습니다.

GS칼텍스 (GS Caltex):

RE100 참여: GS칼텍스는 RE100 이니셔티브에 가입하여, 에너지 사용을 재생 가능 에너지로 전환하기 위한 계획을 진행하고 있으며, 탄소 중립을 목표로 하고 있습니다.

환경 정책 및 법률: GS칼텍스는 환경 보호를 위한 정책을 수립하고 에너지 효율성을 향상시키는 프로젝트를 진행하며, 국내외 환경 규제 및 법률을 준수하고 환경 보호를 촉진하고 있습니다.

농심 (Nongshim):

RE100 참여: 농심은 RE100에 가입하여, 회사의 생산 시설에서 재생 가능 에너지를 적극적으로 도입하고 있으며, 에너지 효율성을 개선하고 있습니다.

환경 정책 및 법률: 농심은 친환경적인 제품 제조와 환경 친화적인 생산을 위한 정책을 추진하고 있으며, 국내 환경 관련 법률 및 규제를 준수하고 친환경 제품을 개발하고 있습니다.

신세계 (Shinsegae Group):

RE100 참여: 신세계 그룹은 RE100 이니셔티브에 가입하여, 소매 및 물류 시설에서 재생 가능 에너지를 활용하고 있으며, 탄소 중립을 추구하고 있습니다.

환경 정책 및 법률: 신세계는 친환경 스토어 운영과 환경 친화적인 물류 시스템 도입을 위한 정책을 시행하고 있으며, 국내 환경 규제 및 법률을 준수하고 환경 보호를 촉진하고 있습니다.

한국전력공사 (KEPCO):

RE100 참여: 한국전력공사는 RE100 이니셔티브에 가입하여, 재생 가능 에너지 발전 및 에너지 효율성 향상을 위한 노력을 기울이고 있으며, 친환경 전력 공급을 촉진하고 있습니다.

환경 정책 및 법률: 한국전력공사는 친환경 전력 발전과 에너지 절약 정책을 추진하고 있으며, 국내외 환경 규제 및 법률을 준수하고 친환경 전력 공급을 촉진하고 있습니다.

롯데월드 (Lotte World):

RE100 참여: 롯데월드는 RE100 이니셔티브에 가입하여, 레저 및 엔터테인먼트 시설에서 재생 가능 에너지를 활용하고 있으며, 에너지 효율성을 개선하고 있습니다.

환경 정책 및 법률: 롯데월드는 친환경 레저 시설 운영을 위한 정책을 시행하고 있으며, 국내 환경 관련 법률 및 규제를 준수하고 환경 보호를 촉진하고 있습니다.

한국항공우주산업 (Korea Aerospace Industries, KAI):

RE100 참여: 한국항공우주산업은 RE100 이니셔티브에 가입하여, 항공 및 우주 분야에서 재생 가능 에너지를 활용하고 있으며, 탄소 중립을 추구하고 있습니다.

환경 정책 및 법률: 한국항공우주산업은 친환경 항공 및 우주 기술 개발을 위한 정책을 추진하고 있으며, 국내외 환경 관련 법률 및 규제를 준수하고 친환경 기술 개발을 촉진하고 있습니다.

이러한 기업들은 RE100 이니셔티브에 참여하고 환경 보호와 지속 가능한 에너지 사용을 촉진하는 정책과 노력을 기울이고 있습니다. 이를 통해 친환경한 미래를 구축하고 에너지 사용을 지속 가능하게 개선하고 있으며, 환경에 대한 긍정적인 영향을 미치고 있습니다.